ESTE LIVRO PERTENCE A:

# O poder da garota que ora

STORMIE OMARTIAN

Traduzido por Cecília Eller

Os textos das referências bíblicas foram extraídos da *Nova Versão Transformadora* (NVT), da Tyndale House Foundation, salvo as seguintes indicações: *Nova Almeida Atualizada* (NAA), da Sociedade Bíblica do Brasil; e *Nova Versão Internacional* (NVI), da Biblica, Inc.



*CIP-Brasil. Catalogação na publicação*
*Sindicato Nacional dos Editores de Livros, RJ*

O64p

Omartian, Stormie
O poder da garota que ora / Stormie Omartian ; tradução Cecília Eller. - 1. ed. - São Paulo : Mundo Cristão, 2023.
144p.

Tradução de: The power of a praying girl
ISBN 978-65-5988-190-1

1. Meninas cristãs - Vida religiosa. 2. Oração - Cristianismo. I. Eller, Cecília. II. Título.

22-81562 CDD: 248.83
CDU: 27-584-053.6

*Meri Gleice Rodrigues de Souza - Bibliotecária - CRB-7/6439*

*Categoria:* Oração
1ª edição: agosto de 2024 | 4ª reimpressão: 2025

*Edição*
Daniel Faria

*Revisão*
Ana Luiza Ferreira

*Produção*
Felipe Marques

*Diagramação*
Marina Timm

*Ilustração de capa*
Ana Carolina Fercho

*Capa*
Jonatas Belan

Publicado no Brasil com todos os direitos reservados por:

Editora Mundo Cristão
Rua Antônio Carlos Tacconi, 69
São Paulo, SP, Brasil
CEP 04810-020
Telefone: (11) 2127-4147
www.mundocristao.com.br

Jesus disse:
"Deixem que as crianças venham a mim.
Não as impeçam, pois o reino de Deus
pertence aos que são como elas".
Marcos 10.14

Gratidão especial às minhas duas consultoras
especialistas nessa área:
London, de oito anos,
e Lola Rose, de doze.
Vocês são meninas tementes a Deus
com pais que temem a Deus,
e me inspiraram muito mais
do que consigo expressar em palavras.

# Sumário

# Minhas orações são importantes para Deus?

Você sabia que Deus é real e que ele a ama muito? Sabia que pode conversar com Deus sempre que quiser? Ele diz que suas orações são importantes para ele, pois se importa com aquilo que é importante para *você*. Porque se importa com *você*. Não interessa se você é *grande* ou *pequena*, mais *velha* ou bem *nova*, nem se está se sentindo muito *poderosa* ou bem *fraquinha*. Deus a ouve quando você ora e fala com ele.

*Orar é conversar com Deus.* Você pode contar para Deus qualquer coisa que se passa em seu coração. Mas orar não é dizer a Deus o que ele deve fazer. Orar é compartilhar com Deus o que você *gostaria* que ele fizesse. Deus sempre quer ouvi-la, por isso é bom conversar com ele todos os dias. Apenas saiba que ele responderá às suas orações do jeito *dele* e no tempo *dele*. Este livro ajudará você a conversar com Deus, e não vai ser nada difícil. Vai ser fácil. Em pouco tempo, conversar com Deus se tornará algo que você quer naturalmente fazer. É como compartilhar o que está em seu coração todos os dias com seu melhor amigo.

## Lembre-se

Você pode conversar com Deus em voz alta. Ou pode falar tão baixinho que só *ele* será capaz de ouvi-la. Você pode até mesmo orar a ele em sua mente, e ele ouvirá seus pensamentos.

Quando você começar a falar com Deus, conte-lhe o que você mais ama nele. Diga-lhe o quanto aprecia todas as coisas que ele fez por você e lhe deu de presente. Isso se chama *louvor*. Assim como você conversa com os membros de sua família e com seus amigos porque os ama, você conversa com Deus porque o ama também. Deus diz que, se você o ama e vive de acordo com os caminhos *dele*, pode chamá-lo de amigo.

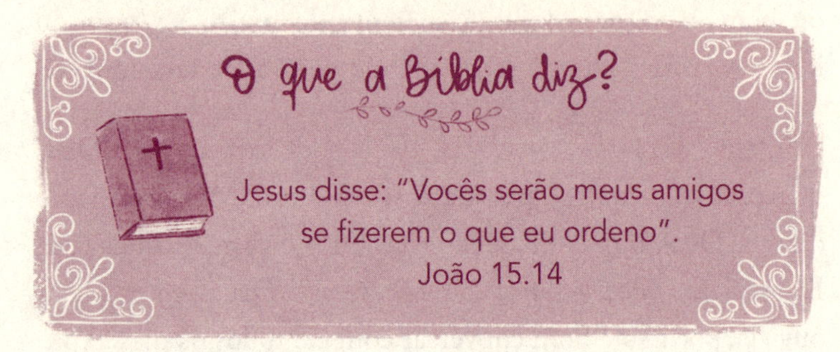


Você sabia que pode orar a Deus sempre que quiser? Isso acontece porque Deus sempre a ouve, onde quer que você esteja. Você pode estar dentro ou fora de casa. Pode estar deitada quietinha no quarto, ou caminhando em uma rua barulhenta e agitada. Ou pode se ajoelhar em um lugar tranquilo, como Jesus fazia ao orar. Onde *você* mais gosta de conversar com Deus? (Responda a lápis.)

O que outras meninas dizem?

**Alguns dos *lugares* onde as meninas gostam de orar:**

"No chuveiro ou na banheira."
"No carro ou quando estou andando."
"A caminho da escola."
"Na igreja."
"Onde consigo estar a sós."
"À noite na cama, antes de dormir."
"Em qualquer lugar onde eu estiver."

**Onde *você* mais gosta de orar?**

Você pode falar com Deus onde quiser. Basta chamar o nome dele. A Bíblia diz que, se você se aproximar de Deus, ele se aproximará de você (Tiago 4.8). Quando você diz: "Querido Senhor", ou "Eu te amo, Deus", ou "Ajuda-me, Senhor", isso significa que você quer ficar perto dele e conversar com ele. Quando Deus sabe que você deseja se aproximar dele, ele se aproxima de você. E ele a ouvirá a qualquer hora do dia ou da noite. Você pode estar em qualquer lugar do mundo, até mesmo em um barco no meio do oceano, sozinha na floresta ou no deserto. Como ele a ama, nunca está ocupado demais para ouvir suas orações.

## O que outras meninas dizem?

**Alguns dos *momentos* em que as meninas gostam de orar:**

"Quando estou sozinha."

"Quando me sinto triste."

"Quando preciso da ajuda de Deus."

"À noite, quando me deito para dormir."

"Quando quero me sentir mais próxima de Deus."

"Quando tenho uma necessidade especial."

"Quando algo bom acontece e quero agradecer a Deus."

**Quando *você* mais gosta de orar?**

______________________________

______________________________

## Lembre-se

Não importa *quando* ou *onde* você fala com Deus. Ele sempre está esperando para ouvir você.

Jesus é o Filho de Deus. Sua mãe, Maria, era pura e bondosa. Ela amava tanto a Deus que ele a escolheu para ser mãe de Jesus. Deus revelou às pessoas que seu Filho nasceria neste mundo e cresceria para ensinar a todos que nele cressem como viver de maneira que agrada a Deus. Quando Jesus cresceu, disse às pessoas que era o Filho de Deus e que precisavam recebê-lo como seu Salvador.

Ele explicou que entregaria sua vida pela humanidade, a fim de que todos pudessem ser salvos das consequências do pecado. *Pecado* é tudo aquilo que fazemos de que Deus não gosta e que é contra as leis e os caminhos de Deus. *Consequências* são as coisas ruins que acontecem quando fazemos algo errado. Deus tem leis para *nosso* benefício. Ele quer que *nós* vivamos do jeito *dele* porque é assim que nossa vida funciona melhor. E se rejeitarmos o mal e convidarmos Jesus, o Filho de Deus, para viver em nosso coração, poderemos viver com ele para sempre no reino celestial do Pai. Li que o céu é um lugar espetacular, e você não vai querer perder. Mas se você já recebeu Jesus em seu coração, não precisa se preocupar com isso.

Deus ama as crianças de todas as idades. No entanto, não importa quantos anos você faça, continuará a ser uma filhinha de Deus. Quando Jesus pregava para as pessoas, sempre recebia com carinho as crianças que iam vê-lo e pedia a seus discípulos que nunca as afastassem dele. Aliás, Jesus queria que os adultos o recebessem também, mas explicou que deveriam se aproximar dele como uma criança faria. A criança tem um coração que *ama*, *confia* e é muito *humilde*. Ter o coração humilde significa crer que Deus é maior do que qualquer outro, inclusive você mesma. Deus ensina aos adultos que é melhor eles começarem a agir como uma criança se quiserem que ele ouça suas orações.

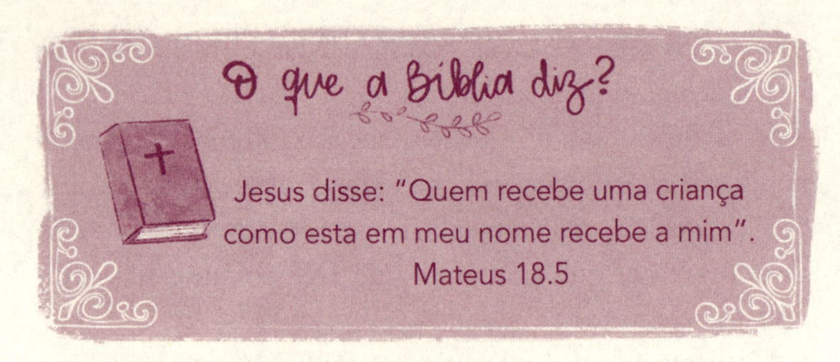


Se você já convidou Jesus para morar em seu coração, então pertence a ele. Isso significa que o Espírito Santo habita dentro de você. Se você nunca recebeu Jesus em seu coração, pode fazer isso agora mesmo. Basta dizer as seguintes palavras para Jesus:

> Senhor Jesus, eu o convido a morar em meu coração. Acredito que você é o Filho de Deus e deu sua vida por mim, para que eu possa ter vida a seu lado, tanto agora quanto para sempre. Por favor, me perdoe por qualquer coisa que eu tenha feito de errado. Ajude-me a viver sempre de acordo com os seus caminhos.

Escreva seu nome: ______________________________

Escreva a data em que você fez essa oração: __________

Escreva sua idade quando fez essa oração: __________

Se você já aceitou Jesus, anote nos espaços acima em que dia e ano isso aconteceu e quantos anos você tinha na época. É sempre bom ter uma ideia pelo menos aproximada de quando você aceitou o Senhor, a fim de olhar para o passado e ter a certeza de que isso aconteceu.

Jesus sempre respeitava as crianças. Ele dizia aos adultos que jamais deveriam menosprezar as crianças porque *os anjos delas* sempre estão na *presença* de *Deus* (Mateus 18.10). Isso significa que você sempre tem pelo menos um anjo da guarda cuidando de você, e esse anjo está sempre na presença de Deus. Ou seja, seu anjo da guarda tem conexão direta com Deus. Isso também quer dizer que você é muito importante para Deus, porque é filha dele.

Há outras ótimas notícias sobre você e Deus. Uma vez que você é filha de Deus e ele é o Rei do universo, isso quer dizer que *você* é *filha de um rei*. A filha de um rei sempre é chamada de princesa. Isso faz de *você* uma *princesa*.

## Lembre-se

Uma vez que você é filha do Rei do universo, isso faz de *você* uma *PRINCESA DE DEUS*.

Jesus quer que todos nós oremos em seu nome. Isso significa que, quando você fala com Deus e diz "Em nome de Jesus" ao fim da oração, é como falar com Deus o seguinte: "Eu conheço seu Filho, e ele é meu amigo pessoal". E é como se Deus estivesse dizendo: "Se você conhece meu Filho, então me diga o que você quer que eu faça por você, pois eu quero fazer". Toda vez que você diz "Em nome de Jesus", suas orações se tornam mais poderosas.

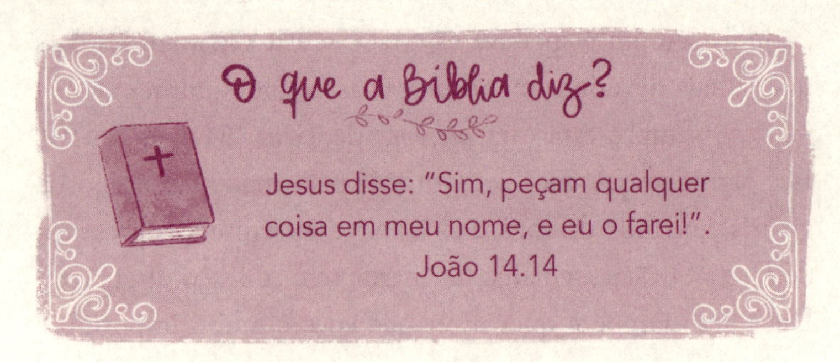


A Bíblia também é chamada de Palavra de Deus. Ela ajuda você a aprender sobre Deus, sobre o que ele *já fez* e o que ele *vai fazer*. Expressa o quanto ele a ama e o que quer fazer em sua vida. Ela também ensina você como pensar, viver e orar de maneiras que façam Deus sorrir. Conta sobre Jesus e tudo que ele fez por nós. A leitura da Palavra de Deus ajudará você a conhecer melhor a Deus e conversar mais com ele. Isso agrada a Deus. E agradar a Deus traz grandes *bênçãos* para você.

*Bênçãos* são as coisas boas que acontecem em sua vida. Se você tem alimento para comer, uma casa para morar e pessoas que a tratam com bondade, amor e cuidado, essas são algumas das grandes bênçãos de Deus. A leitura da Bíblia sempre lhe trará grandes bênçãos.

Deus está

sempre esperando você falar com ele.

*Orar* é *se comunicar com Deus*. Comunicar-se significa contar a Deus seus pensamentos e sentimentos por meio de fala, escrita ou canção. Deus ama quando você se comunica com ele. E deseja se comunicar com você também. Em geral, as pessoas não ouvem a voz de Deus audivelmente porque o *Espírito dele* se comunica com o *espírito delas.* Mas algumas pessoas já a escutaram. A maioria das pessoas ouve Deus lhes falar de diferentes maneiras. Você pode sentir Deus falar a seu coração quando lê sua Palavra. Ou, quando você ora e pede a Deus que a guie, talvez sinta dentro do coração que deve agir de determinado jeito, não de outro. Ou ele pode lhe dar uma ideia em relação ao que *deve* fazer ou *não* fazer em determinada situação. Ou então pode lembrá-la de algo que você precisa fazer e de que havia se esquecido até então.

Para ouvir Deus falar a seu coração, você não pode conversar o tempo inteiro, sem pedir que ele lhe mostre algo específico. Você pode dizer: "Senhor, mostre-me o que fazer em relação a essa pessoa que está me incomodando". Ou: "Senhor, mostre-me como permanecer em segurança hoje". Ou: "Ensine-me como posso ser uma bênção para alguém hoje". E ele levará coisas à sua mente que ajudarão a guiar você.

Mesmo que você seja pequena, quando você ora, coisas grandes podem acontecer. Sobre qual coisa grande você gostaria de orar e que gostaria de ver acontecer em sua vida ou na vida de outra pessoa?

_______________

_______________

_______________

A Bíblia diz que Deus quer que você ore sem cessar (1Tessalonicenses 5.17). Isso significa que Deus deseja que você ore com frequência sobre tudo e ore sempre que quiser. Este livro ajudará você a orar assim. E a ajudará a orar sobre coisas das quais você pode acabar se esquecendo. Continue a ler para descobrir *motivos* e *pessoas* importantes sobre os quais orar a fim de ter a vida abençoada que Deus deseja que você tenha.

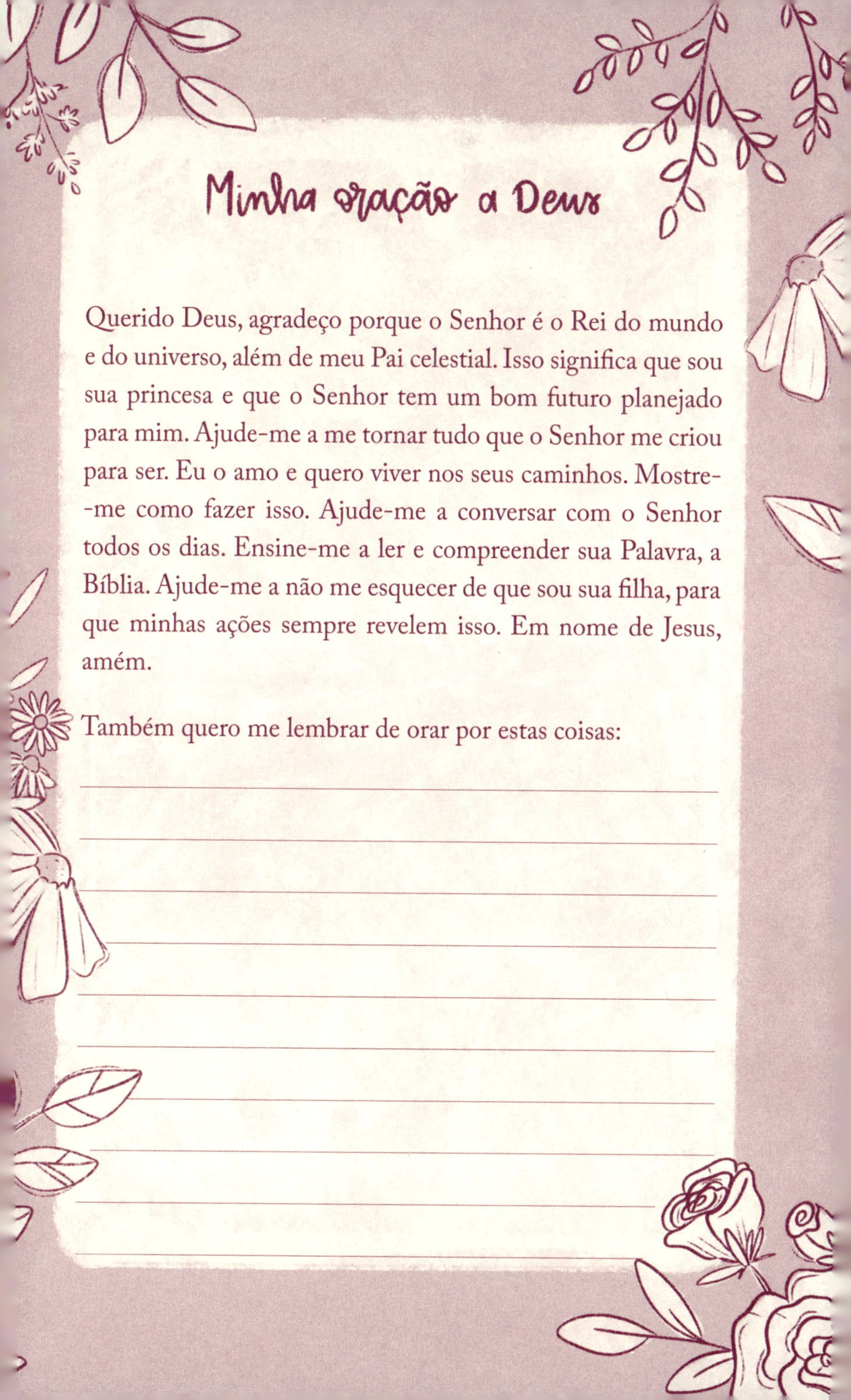

# Minha oração a Deus

Querido Deus, agradeço porque o Senhor é o Rei do mundo e do universo, além de meu Pai celestial. Isso significa que sou sua princesa e que o Senhor tem um bom futuro planejado para mim. Ajude-me a me tornar tudo que o Senhor me criou para ser. Eu o amo e quero viver nos seus caminhos. Mostre-me como fazer isso. Ajude-me a conversar com o Senhor todos os dias. Ensine-me a ler e compreender sua Palavra, a Bíblia. Ajude-me a não me esquecer de que sou sua filha, para que minhas ações sempre revelem isso. Em nome de Jesus, amém.

Também quero me lembrar de orar por estas coisas:

# Por que às vezes me sinto assim?

Você às vezes tem dias em que se sente para baixo ou ansiosa em relação a alguma coisa, mesmo que nem sempre consiga entender por quê?

Já aconteceu de se sentir bem em um dia e, no outro, só querer voltar para a cama com o rosto escondido debaixo do cobertor?

Todas nós temos dias bons e outros nem tão bons assim. Especialmente quando garota, dá para ter um bom dia de manhã e, então, de tarde, sentir várias emoções desagradáveis, sem conseguir entender por que isso aconteceu. Não é algo incomum em sua idade. E o motivo para isso é que você está crescendo depressa, em vários aspectos diferentes: mental, emocional e físico.

É fácil entender que você está *crescendo mentalmente* porque estuda e aprende coisas novas todos os dias. E consegue ver que está *crescendo fisicamente* porque as roupas não servem mais e as pessoas não param de comentar o quanto você está crescida. Mas não é tão fácil entender como você está *mudando emocionalmente.*

*As emoções correspondem ao jeito que você se sente.* Você pode ter *bons sentimentos.* Por exemplo, você pode se sentir feliz, empolgada, amável, esperançosa, alegre ou em paz. Pode sentir que está tendo um bom dia, como se algo positivo estivesse prestes a acontecer. Essas são *emoções positivas*, que a fazem se sentir feliz e cheia de energia. Em contrapartida, você pode ter sentimentos que a deixam *mal* e *sugam sua energia*, levando-a a ficar cansada, indisposta a fazer o que precisa. Por exemplo, você pode ficar brava, insegura, nervosa, solitária ou envergonhada. São sentimentos *negativos.* E, em algumas ocasiões, é possível sentir tudo isso em um só dia. Ou você pode se sentir muito triste e estressada em um dia e bem no outro. Você pode sentir muitas emoções diferentes ou talvez sentir uma emoção forte que parece tentar controlar sua mente. Tais emoções ou sentimentos são especialmente desconfortáveis quando você não consegue entender por que está se sentindo assim.

Em alguns dias, é fácil perceber por que você está se sentindo de determinada maneira, pois consegue se lembrar de algo que aconteceu e saber que isso a levou a se sentir mal. Quando, porém, você não consegue compreender por que está se sentindo de determinado jeito, pode pedir a Deus que lhe mostre. Ao conversar com Deus sobre isso, ele pode lhe revelar algumas coisas que você precisa saber. Ou pode simplesmente tirar esses sentimentos negativos de você e lhe dar paz. Apenas pensar no quanto Deus a ama já fará enorme diferença em seus sentimentos. Quando Deus lhe mostrar algo, escreva. Converse sobre o assunto também com sua mãe ou seu pai, com algum familiar de confiança ou com uma boa amiga que ama Jesus. Às vezes, o mero ato de conversar sobre como você se sente pode mandar embora os sentimentos negativos.

## O que outras meninas dizem?

**O que algumas meninas fazem para se livrar de seus sentimentos negativos:**

"Peço a Deus em oração que me mostre por que estou me sentindo daquele jeito."

"Converso com alguém da família ou com uma amiga íntima sobre como estou me sentindo."

"Conto para alguém quando me sinto mal em relação a algo que outra pessoa disse."

"Escrevo como me sinto em um diário ou em um bloco particular de anotações."

"Peço a alguém que ore comigo em relação a isso."

"Lembro-me de que é normal ter um dia ruim às vezes."

"Tento ficar perto de alguém animado."

Você já sentiu alguma emoção negativa, como tristeza, raiva, desesperança, preocupação ou medo, e parecia não conseguir se livrar desse sentimento? Está se sentindo assim agora? Escreva o que você está sentindo — ou sente às vezes — e peça a Deus que lhe mostre *qual* é exatamente esse sentimento e *por que* você se sente assim. Complete a frase: "Querido Senhor, às vezes eu me sinto exatamente assim…"

________________________________________

________________________________________

Outras pessoas às vezes fazem você se sentir mal? O que a faz se sentir mal: o que *dizem* ou o que *fazem*? Ou ambos? Há alguém com quem você pode conversar ou orar sobre o assunto? É importante que outra pessoa saiba o que está acontecendo. Não tente carregar esse fardo sozinha. Escreva abaixo uma oração contando a Deus quem ou o que a fez se sentir mal. Peça-lhe que cure os sentimentos de mágoa e os mande embora.

______________________________________________

______________________________________________

______________________________________________

______________________________________________

______________________________________________

## Lembre-se

As pessoas podem ser cruéis, mas Deus é sempre bom e gentil. Você pode pedir a Deus que a ajude a encontrar amigos bons e gentis assim como ele é.

*Seus sentimentos não precisam controlar sua vida.* É importante ver se você consegue, caso possível, identificar *por que* se sente assim, pois isso a ajudará a tentar fazer algo para resolver o problema. Mas é importante saber que seus sentimentos podem mudar e *você* pode aprender a mudá-los. Seus sentimentos negativos podem se tornar um hábito, sem que você perceba. Por isso, você precisa começar a pensar como uma princesa de Deus. Uma princesa é importante, bondosa, educada, inteligente, bela e amada. Você não precisa se esforçar para ser assim. Só deve reconhecer que foi assim que Deus a fez.

Se uma pessoa — alguém agressivo, rude ou egoísta — for maldosa com você e magoar seus sentimentos, conte a Deus e a sua mãe, seu pai ou quem cuidar de você, ou ainda a alguém em quem você confia e que possa orar com você. Peça a Deus que tire essas palavras ou ações ferinas de sua memória e as substitua por seu amor. Também lhe peça que a ajude a se lembrar de quem ele a criou para ser. Não permita que os sentimentos negativos fiquem se repetindo o tempo inteiro em sua mente. Os sentimentos ruins não correspondem a quem você é. Você faz parte da realeza, pois seu Deus Pai celestial é o Rei. Por causa de quem ele a criou para ser, você tem um propósito grandioso. Deus a chama para fazer grandes coisas.

*Saiba que você controla seus sentimentos.* Talvez não logo de início, quando perceber que está se sentindo de determinada maneira. Mas não se esqueça de que faz bem chorar quando os sentimentos magoam. Suas lágrimas podem ajudá-la a limpar os sentimentos ruins da mente e do coração, por isso chore quando precisar ou quiser. Mas lembre-se de que, embora você *não tenha controle* sobre o que outra pessoa fez ou faz, você *pode sim controlar* como isso continuará a afetá-la. Você pode se achegar a Deus e dizer: "Querido Deus Pai, por favor, mande embora esses sentimentos tristes. Encha meu coração e minha mente com seu amor, sua paz e sua alegria. Empurre para longe as nuvens negras sobre mim, a fim de que sua luz possa brilhar".

Você sabia que é possível ter sentimentos negativos e positivos ao mesmo tempo? Muitas vezes, é útil separar os bons e maus sentimentos que você tem, listando-os em lados opostos de uma folha de papel, mesmo que cite apenas uma emoção *negativa* e uma *positiva* de cada lado. A grande questão é: não ignore seus sentimentos. Leve-os a Deus e diga a ele como você se sente. Peça a ele que a ajude a pensar no que é positivo, não no negativo. Você pode fazer isso. Então liste as coisas boas sobre Deus e expresse gratidão por cada uma delas. Agradeça a Deus os sentimentos felizes e positivos que você tem por causa dele.

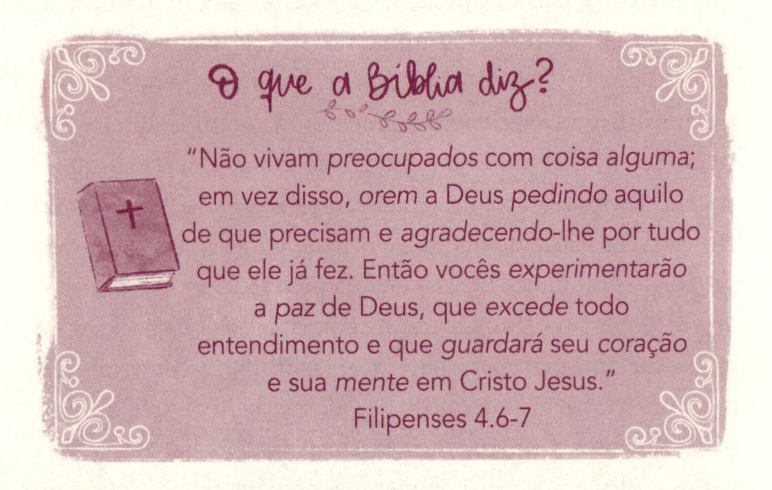


Isso significa que você *não* deve ficar *ansiosa* com *coisa alguma*. Em vez disso, deve *orar* sobre *tudo* e agradecer a Deus. Enquanto você faz isso, Deus lhe dará tanta paz que ela protegerá seu coração e sua mente. Não é uma promessa incrível do Senhor?

bom o tempo todo e ama você, independentemente do que aconteça.

Deus diz que não devemos sofrer com dias maus, pois se o convidarmos para tomar conta de *todos os dias*, ele trará o *bem* a cada dia. Por isso é tão importante colocar Deus no comando a cada manhã, no *princípio* de seu dia, ou o mais cedo que você se lembrar de fazer isso. Diga: "Senhor, fique no controle de minha vida hoje. Este é o dia que o Senhor criou e eu me alegrarei com ele, pois tudo que o Senhor faz é bom".

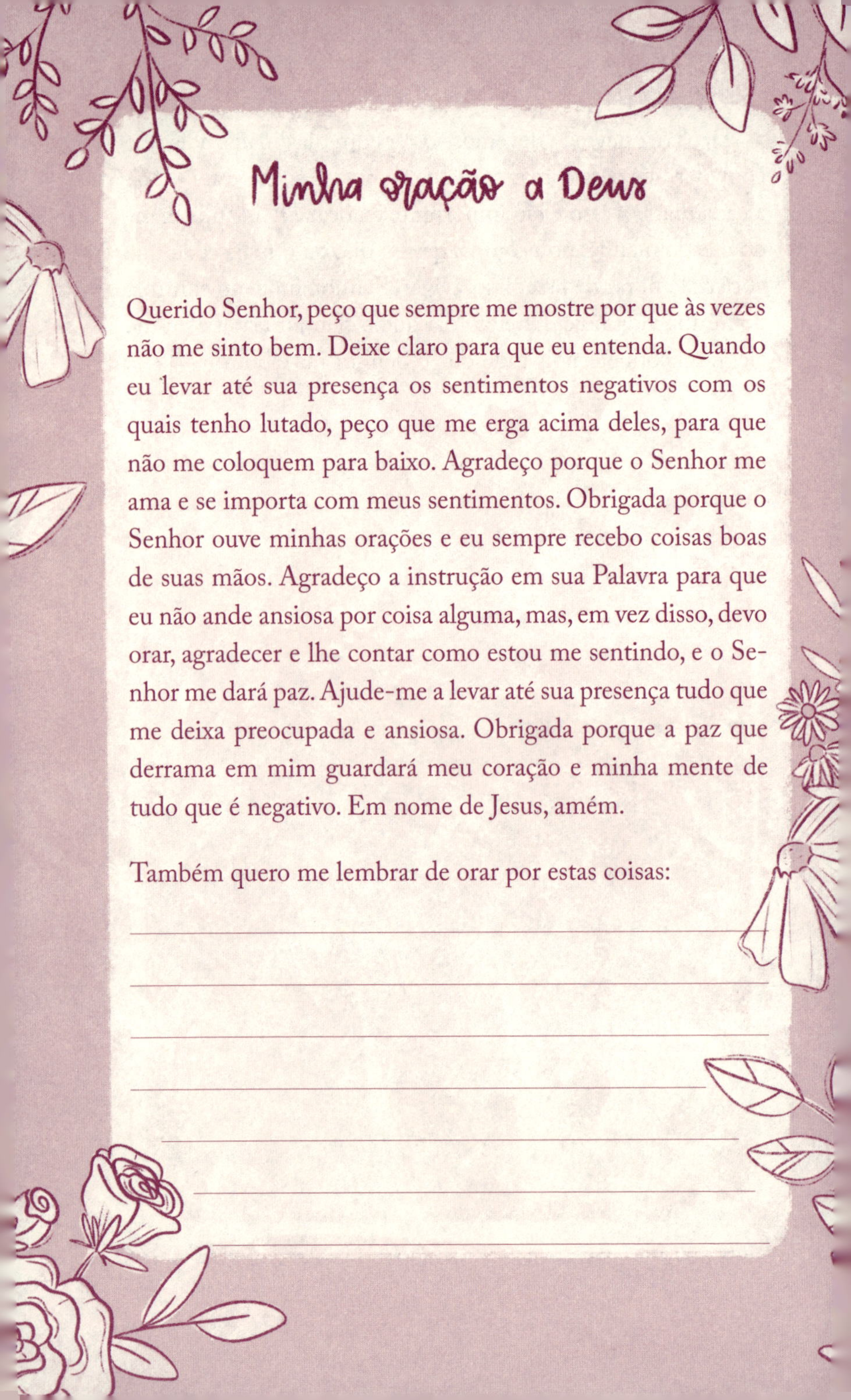

# Minha oração a Deus

Querido Senhor, peço que sempre me mostre por que às vezes não me sinto bem. Deixe claro para que eu entenda. Quando eu levar até sua presença os sentimentos negativos com os quais tenho lutado, peço que me erga acima deles, para que não me coloquem para baixo. Agradeço porque o Senhor me ama e se importa com meus sentimentos. Obrigada porque o Senhor ouve minhas orações e eu sempre recebo coisas boas de suas mãos. Agradeço a instrução em sua Palavra para que eu não ande ansiosa por coisa alguma, mas, em vez disso, devo orar, agradecer e lhe contar como estou me sentindo, e o Senhor me dará paz. Ajude-me a levar até sua presença tudo que me deixa preocupada e ansiosa. Obrigada porque a paz que derrama em mim guardará meu coração e minha mente de tudo que é negativo. Em nome de Jesus, amém.

Também quero me lembrar de orar por estas coisas:

# Como ser sempre eu mesma?

Você já sentiu dificuldade de ser você mesma? Às vezes parece que você nem sabe quem "você mesma" realmente é?

Esses sentimentos podem vir à tona quando você está rodeada por pessoas que a deixam desconfortável, como se você não fosse boa o bastante, inteligente o bastante, bem vestida o bastante, talentosa o bastante, ou qualquer outra coisa que parecem lhe sugerir. Mas como você se *sente* perto dos outros *não* corresponde a quem você é. Pode haver outros momentos, com determinadas pessoas, em que você se sente *confortável*, *podendo* ser *você mesma* de verdade porque elas a entendem e a aceitam como você é.

Às vezes, porém, esses sentimentos vêm de *dentro de você* e refletem seus *pensamentos* em relação a *si mesma.* Assim, não são, na verdade, culpa dos outros. Isso acontece quando o inimigo de sua alma mente para você em relação a quem Deus a criou para ser. E você acredita nessas mentiras porque acha que elas são a verdade a seu respeito.

Deixe-me explicar algo muito importante que você precisa saber: Deus tem um inimigo. No passado, esse inimigo era um ser belo que Deus criou para dirigir o louvor do céu. Seu nome era Lúcifer, e ele quis *ser Deus*. Por isso, induziu um terço dos anjos celestiais a segui-lo e se rebelar contra Deus. É claro, porém, que Deus é muito mais forte do que qualquer ser ou coisa. Por isso, expulsou Lúcifer e os anjos rebeldes do céu, e eles caíram na Terra. Agora Lúcifer é chamado de Satanás, e seus anjos são os demônios. Eles continuam a se rebelar contra Deus enquanto tentam seduzir todos para o lado deles, a fim de que se rebelem contra Deus também.

Não dá para enxergar esses seres espirituais, assim como também não dá para enxergar seus *anjos da guarda* aqui neste mundo. Os anjos da guarda são anjos bons que protegem você.

Deus não quer que você ore para anjos, mas sim para *ele*. *Ele* é o *Deus* de *todos*, e ninguém mais pode nem mesmo começar a responder às suas orações. Só *ele* pode. Mas você não precisa se preocupar com esses seres maus, pois recebeu Jesus em seu coração. Muito embora esses seres malignos a vejam como uma inimiga e tentem roubar de você ou lhe contar alguma mentira, eles não podem tocá-la porque você tem a luz do Senhor em seu interior e pertence a Deus. Seu Deus Pai a ama e protege. Aliás, quanto mais você conhece seu Pai celestial, mais entende que ele é o Rei do universo e que você é filha dele. Você é a princesa dele. E isso é definitivo.

É difícil saber quem você realmente é agora porque ainda está aprendendo sobre si mesma e sobre quem Deus a criou para ser. Você não viveu consigo mesma o suficiente para saber exatamente como se sente em relação a tudo. Você não sabe cada coisa que a deixa feliz ou triste, confiante ou insegura, empolgada ou desinteressada, esperançosa ou desanimada, grata ou irada. É por isso que sempre ajuda escrever aquilo que você *de fato* sabe sobre *você*.

Só porque você se sente de determinada maneira hoje não significa que se sentirá exatamente igual amanhã, semana que vem ou no próximo ano. Mas, quanto mais você escrever como se sente e o que você *de fato* sabe sobre si mesma, mais crescerá na compreensão acerca de quem você é. E isso a ajudará a se sentir como você mesma. Por isso, comece com o que você *de fato* sabe, isto é, que você é a filha de um Rei e que isso a torna parte de uma família real. Você é amada. Você tem dignidade e valor, um propósito, dons e talentos. E Deus lhe dá grande poder quando você expressa a Palavra de Deus ou ora em nome de Jesus. Não importa se as outras pessoas conseguem ou não enxergar tudo isso. *Deus enxerga!*

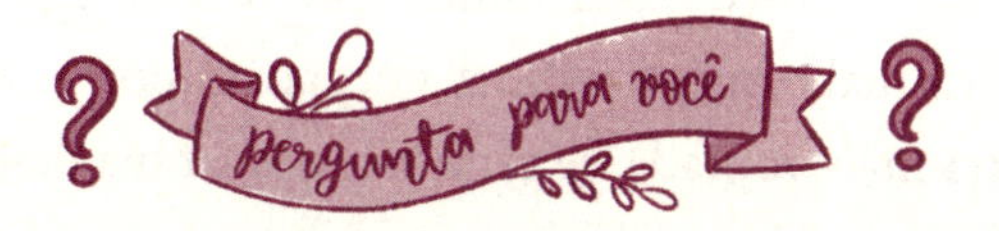


Como você se descreveria? Você é extrovertida, calada, feliz, triste, gentil, amigável? O que você gosta de fazer? O que você não gosta de fazer?

Se não houver espaço suficiente para escrever todas as respostas aqui, pegue um caderno ou diário para anotar seus pensamentos. Escreva-os a lápis, para poder mudar mais tarde caso mude de ideia. Isso será parte útil do processo de se conhecer melhor.

Quanto mais tempo com Deus você passar, mais se conhecerá e mais fácil será quando estiver com os outros.

**Lembre-se**

Quanto mais você sabe quem Deus é,
mais entende quem você é.

Uma boa amiga é alguém com quem sempre dá para ser você mesma. Você se sente confortável em ser quem é ao lado dela porque percebe que pode ser completamente honesta em relação a quem você é. Pode lhe dizer as coisas de que você gosta e não gosta. Pode compartilhar o que realmente a incomoda. Se você passa muito tempo com alguém que a faz se sentir mal consigo mesma, chegará o momento em que não sentirá mais vontade de estar na companhia dessa pessoa. Pensará em maneiras de evitá-la. E pode orar por uma nova amiga que não a faça se sentir mal.

Converse com Deus toda vez que sentir que não está sendo você mesma. Peça a ele que lhe mostre o motivo e o que você pode fazer para mudar isso. Peça-lhe que a ajude a conhecê-lo melhor. Isso sempre ajuda. A maneira de conhecê-lo melhor é lendo sua Palavra e conversando com ele em oração todos os dias. Diga-lhe como você se sente e agradeça-lhe por tê-la criado com a habilidade de fazer outras pessoas se sentirem à vontade como são em sua presença.

## O que outras meninas dizem?

**Algumas das palavras que as meninas usam para se descrever são:**

"Prestativa."
"Gentil."
"Ansiosa."
"Cuidadosa."
"Feliz."
"Grata."
"Medrosa."
"Preocupada."
"Amorosa."
"Amigável."

Que palavras você usaria para *se descrever*? Você pode usar algumas das palavras citadas acima ou acrescentar suas próprias palavras.

---

---

---

Quais são algumas palavras que você gostaria que os *outros pensassem* ou *dissessem* a seu respeito? (Por exemplo: "Eu gostaria que as pessoas pensassem ou dissessem que eu sou amigável e gentil".)

---

---

---

## Lembre-se

Entender quem Deus a criou para ser ajuda você a se aceitar melhor. Isso leva tempo, à medida que você cresce.

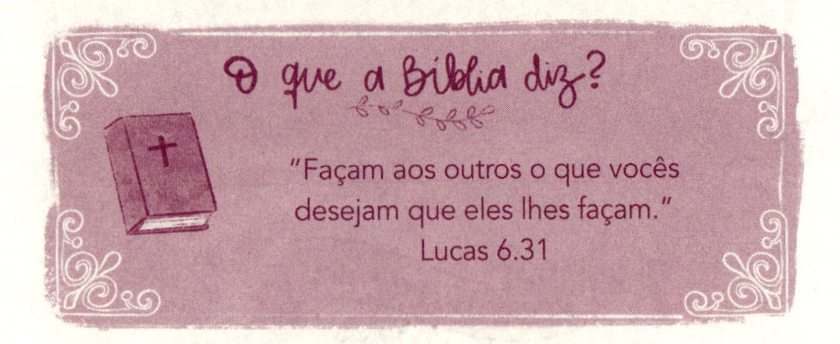



Isso significa tratar os outros como você gostaria de ser tratada, ou seja, de maneira gentil e atenciosa. E ajuda quando você para de se concentrar em si mesma e passa a focar o outro. Isso sempre a faz se sentir você mesma, pois você é uma pessoa gentil.

*Não deixe que os outros a definam.* Isso significa não permitir que outras pessoas decidam quem você realmente é. Isso cabe a você e Deus decidirem. E a seus pais também. Eles também querem o melhor para você, e é para isso que trabalham tanto.

*Não se compare aos outros.* Você é única. Isso quer dizer que não há ninguém mais no mundo como você. Você é bonita e sábia porque Deus lhe dá sabedoria e beleza. Ele é belo. *A beleza dele em você* a torna *bela.* A Bíblia diz que Deus "fez tudo formoso no seu devido tempo" (Eclesiastes 3.11, NAA). Isso significa que a formosura ou beleza em uma pessoa leva tempo para se desenvolver. Não depende de como você se sente. É preciso confiar no tempo de Deus para tudo.

## Lembre-se

Quanto mais você compreender quem é seu Deus Pai, mais entenderá quem ele a criou para ser.

*Uma parte crucial de se conhecer é ser sua melhor amiga.* Isso significa não se rejeitar. Não se criticar. Apreciar quem Deus a criou para ser. Peça a Deus que lhe mostre as coisas boas a seu respeito que você não consegue enxergar. Aprenda o que Deus pensa a seu respeito. Aquilo de que você gosta ou não em relação a si mesma pode mudar em um instante, enquanto você cresce. Só porque você se sentiu triste um dia não quer dizer que você é uma pessoa triste. Diga para si mesma: "Eu não sou uma pessoa brava. Só estou me *sentindo* brava agora". *Seja gentil consigo mesma, sem se julgar ou criticar.* Quanto mais *você se conhecer*, mais entenderá como *ser você mesma.*

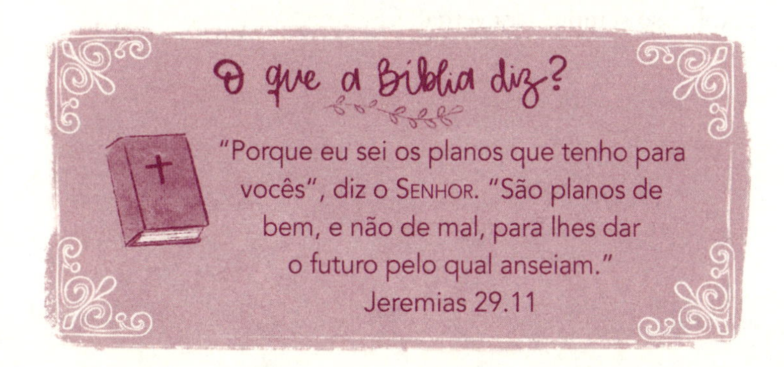

## O que a Bíblia diz?

"Porque eu sei os planos que tenho para vocês", diz o SENHOR. "São planos de bem, e não de mal, para lhes dar o futuro pelo qual anseiam."
Jeremias 29.11

Isso significa que Deus enxerga você no grande futuro que ele reservou para sua vida. Ele a vê como *uma pessoa respeitada, de grande valor* porque é filha dele. Peça a Deus que ajude você a *se enxergar* assim também. Isso não quer dizer se achar melhor que os outros. Quer dizer apenas que você ama a Deus e respeita como *ele* pensa.

Quando Deus olha para você, enxerga todas as coisas grandiosas que colocou em seu interior. Talvez você ainda não veja todas elas porque ainda estão se desenvolvendo. Só porque algumas pessoas não enxergam — ainda — o que Deus vê em você, isso não quer dizer que tais qualidades não existem.

Deus sempre a aceita como você é, mas não a deixa permanecer assim. Isso acontece porque ele a faz crescer e sempre deseja que você se torne mais semelhante a ele. Quanto mais você se tornar parecida com Deus, mais se sentirá você mesma. E isso sempre será verdade.

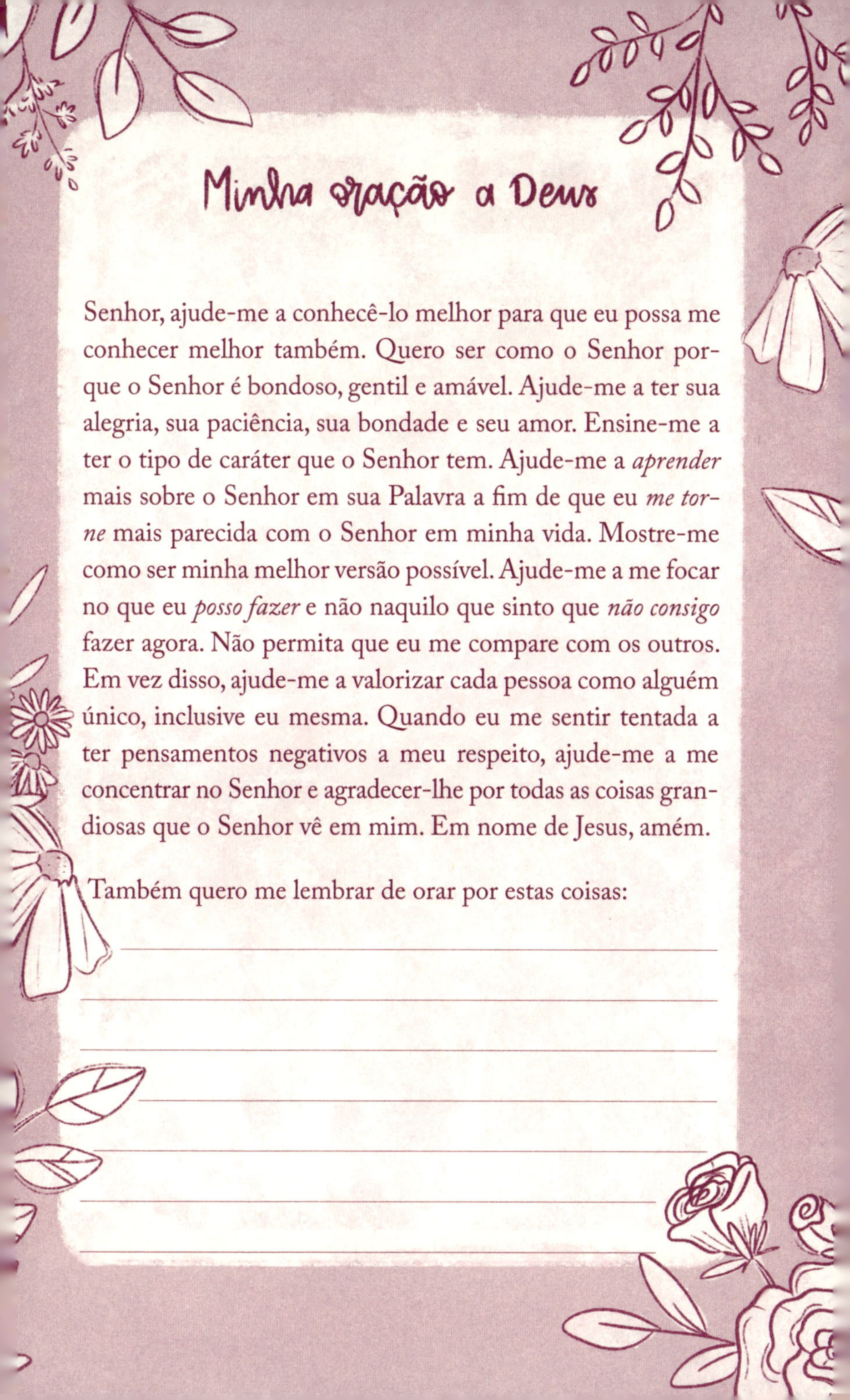

# Minha oração a Deus

Senhor, ajude-me a conhecê-lo melhor para que eu possa me conhecer melhor também. Quero ser como o Senhor porque o Senhor é bondoso, gentil e amável. Ajude-me a ter sua alegria, sua paciência, sua bondade e seu amor. Ensine-me a ter o tipo de caráter que o Senhor tem. Ajude-me a *aprender* mais sobre o Senhor em sua Palavra a fim de que eu *me torne* mais parecida com o Senhor em minha vida. Mostre-me como ser minha melhor versão possível. Ajude-me a me focar no que eu *posso fazer* e não naquilo que sinto que *não consigo* fazer agora. Não permita que eu me compare com os outros. Em vez disso, ajude-me a valorizar cada pessoa como alguém único, inclusive eu mesma. Quando eu me sentir tentada a ter pensamentos negativos a meu respeito, ajude-me a me concentrar no Senhor e agradecer-lhe por todas as coisas grandiosas que o Senhor vê em mim. Em nome de Jesus, amém.

Também quero me lembrar de orar por estas coisas:

4

# O que fazer quando me sinto ocupada demais?

Você já teve a sensação de não estar conseguindo fazer nada direito porque não tem tempo suficiente para fazer tudo que precisa? Tem se sentido pressionada por causa de tantas expectativas sobre você a ponto de parecer que jamais conseguirá viver à altura de todas elas? Muitas das garotas com quem converso dizem que se sentem ocupadas demais e parece que sua vida está fora de controle por causa disso.

Isso acontece por causa dos tempos em que vivemos. Podemos ver ou saber o que todos fazem o tempo inteiro. E por meio do que vemos na televisão, no computador ou no celular, começamos a imaginar um padrão que precisamos alcançar. Meninas como você às vezes sentem que precisam ser perfeitas todos os dias. Não é assim que Deus quer que você se sinta. Não é bom se sentir sempre assim.

Ficar apressada o tempo inteiro pode provocar estresse na mente, no corpo e nas emoções. Todos precisam de tempo para simplesmente *existir*, sem precisar pensar em tudo que devem fazer a cada momento do dia. As meninas, em especial, precisam de tempo para processar os sentimentos e conversar com Deus sobre tudo que estão vivenciando. Se você está constantemente *fazendo*, sem tempo para apenas *ser*, então separe tempo todos os dias para *estar* com o Senhor. Ou *estar* em família, conversando ou fazendo algo agradável juntos. Ou simplesmente *estar* com um livro, lendo-o porque *você* quer, não o mais rápido possível porque é obrigada.

Deus é

tudo de que eu preciso.

Muitas meninas têm tantos afazeres que se sentem pressionadas, pois querem dar o melhor em tudo que realizam. A Bíblia de fato diz que não é bom *nunca* ter o que fazer, pois podemos nos tornar preguiçosas e não fazer nosso trabalho. Ou podemos gastar tempo fazendo *coisas que não prestam*. Isso significa se dedicar a coisas inúteis, que não a transformam em alguém melhor. Aliás, a Bíblia adverte contra passar tempo com pessoas que não fazem nada de útil. Mas ficar tão ocupada a ponto de se estressar e não ter tempo para parar e conversar com Deus, lhe fazer perguntas e conseguir refletir sobre seus pensamentos... isso não é bom. Quando você se sentir assim, Deus quer que você se aproxime dele, para que ele também se aproxime de você e lhe dê sua paz.

Deus quer que façamos coisas boas, para *nós* e também para os *outros*. Mas não quer que você se sinta estressada em relação a isso, como se jamais tivesse tempo para viver. Deus lhe concedeu o mesmo tanto de tempo que a todas as pessoas. Você não tem controle total sobre seu tempo porque ainda é nova, mas pode pedir a Deus que a ajude a fazer bom uso de seu tempo. Em outras palavras, peça a Deus que lhe dê sabedoria em relação a como usar seu tempo.

Quais são as coisas que você precisa fazer durante a semana? Por exemplo, ir à escola, praticar um esporte, estudar para uma prova, praticar piano, fazer a lição de casa, arrumar o quarto (ou a cama, ou o guarda-roupa, ou guardar suas coisas) ou o que você faz para ajudar sua mãe, seu pai ou quem cuida de você.

______________________________________________

______________________________________________

Escreva uma oração pedindo a Deus que lhe mostre como você pode encontrar tempo para fazer melhor essas coisas. Por exemplo: "Querido Senhor, eu gostaria de ter mais tempo para..."

______________________________________________

______________________________________________

______________________________________________

Peça a sua mãe, seu pai ou quem cuida de você que a ajude a encontrar de trinta a quarenta minutos por dia só para ter um tempo de descanso, para ficar na presença de Deus em paz, ou para fazer algo que você tem muita vontade, mas nunca parece encontrar tempo para fazer.

## Lembre-se

Não há problema algum em pedir ajuda quando precisar. Tudo bem pedir um tempo livre em meio à sua agenda apertada, em vez de ficar frustrada e sentir que não dá conta de nada direito na vida.

Você já se sentiu sobrecarregada com tudo que tem para fazer? Às vezes se sente um fracasso porque não tem tempo suficiente para realizar as coisas tão bem quanto você sabe que é capaz de fazer?

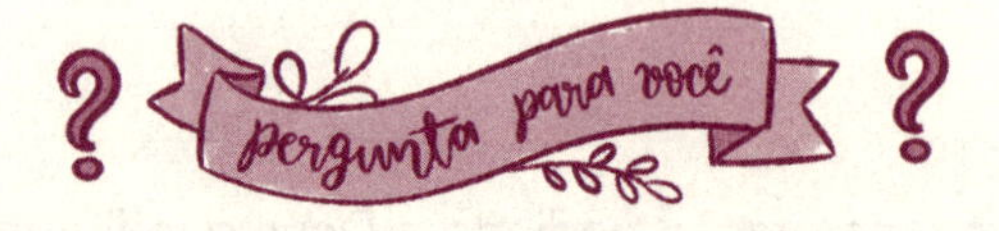


Quando isso acontece, o que faz você se sentir melhor? Gosta de sair para caminhar, correr, pular ou andar de bicicleta? Gosta de ficar em casa dançando ou fazendo alguma outra atividade física? Tem um animal de estimação e gosta de brincar com ele? Gosta de deitar na cama e ler? Gosta de colorir, desenhar ou pintar?

Há alguma maneira de separar de trinta a quarenta minutos do dia para fazer uma dessas coisas? Como você pode se organizar para isso?

________________________________________

________________________________________

________________________________________

*O que outras meninas dizem?*

**Algumas coisas que as meninas gostam de fazer quando se sentem estressadas ou ocupadas demais:**

"Ouvir música."

"Pintar, desenhar ou colorir."

"Praticar alguma atividade física."

"Cantar uma música de que eu goste."

"Dançar ouvindo música."

"Brincar com meu animalzinho de estimação."

"Fazer um lanche."

"Conversar com uma amiga ou alguém da família."

"Sair."

Quando sua agenda e suas emoções a deixarem sobrecarregada, como se sua vida fosse mais do que você consegue lidar e você se sentisse a ponto de explodir, pare o que está fazendo o mais rápido possível e peça ajuda a Deus. Diga-lhe que você quer que ele esteja no controle de sua vida e de sua agenda.

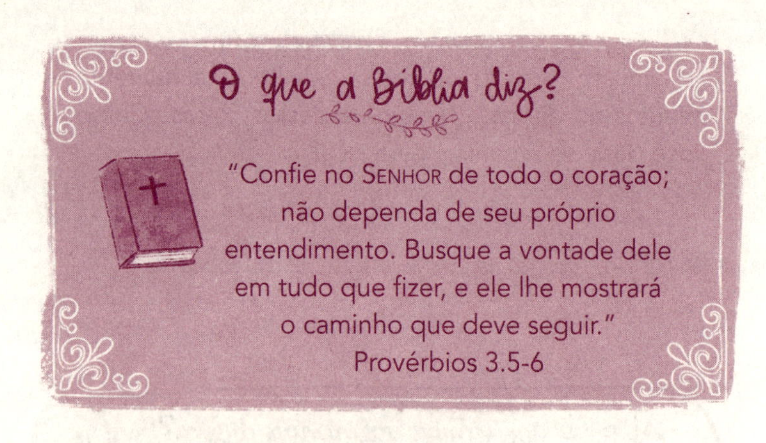


Isso significa que você precisa confiar em Deus para tudo, sem pensar que pode resolver tudo sozinha. Você ainda precisa da ajuda dele, mesmo para decidir quanto fazer em um dia. Peça a Deus que lhe mostre como encaixar tudo aquilo que você precisa fazer. Pergunte-lhe se há algo que você pode parar de fazer, ou não gastar tanto tempo fazendo, a fim de realizar outras coisas melhor. Você precisa fazer as tarefas escolares e as responsabilidades do lar que seus pais lhe derem. Eles trabalham muito para que você tenha um lar, alimentação saudável e as coisas de que você precisa. E necessitam de sua ajuda. Quando você os ajuda, Deus diz que a abençoará por isso. E ele o fará.

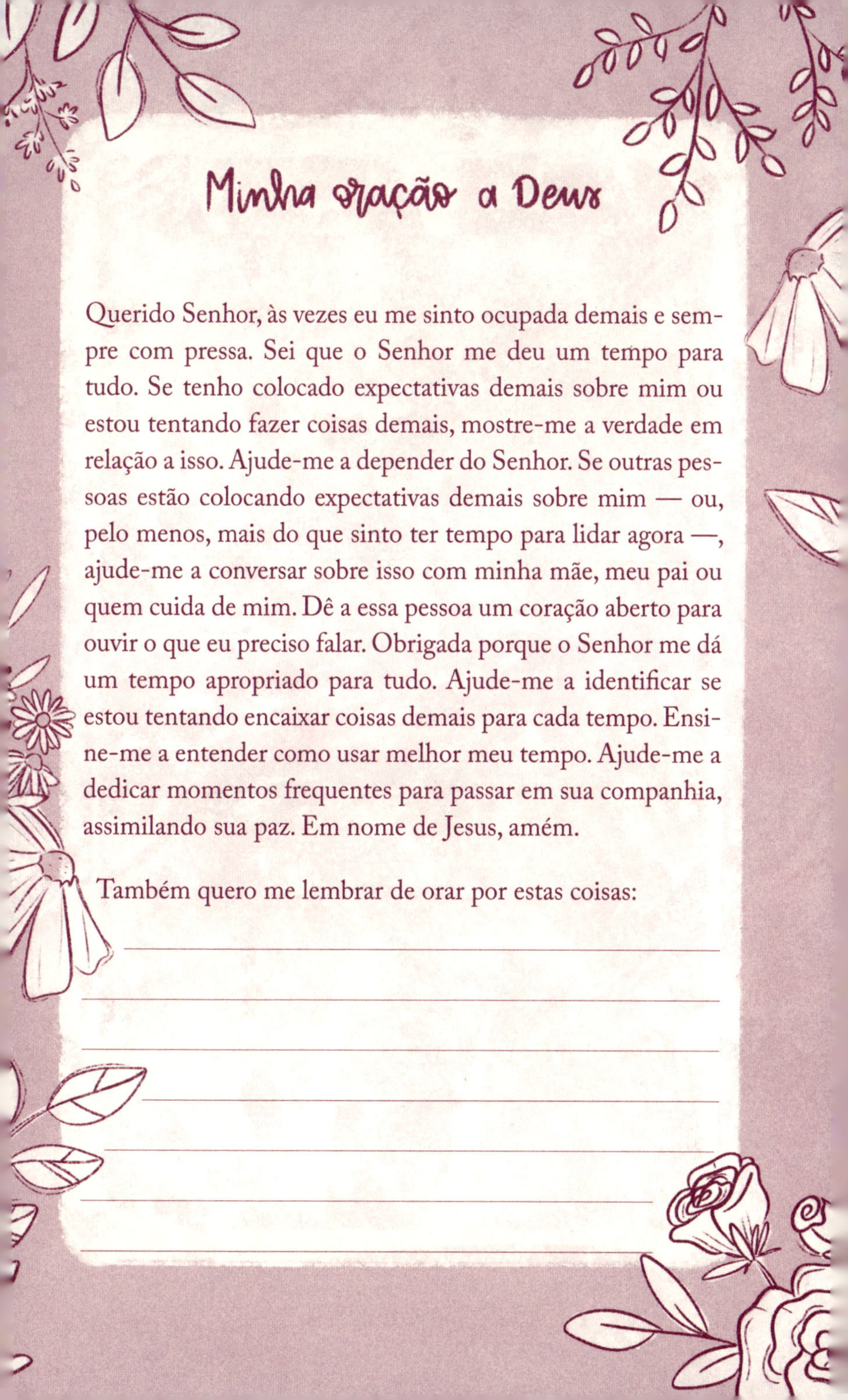

## Minha oração a Deus

Querido Senhor, às vezes eu me sinto ocupada demais e sempre com pressa. Sei que o Senhor me deu um tempo para tudo. Se tenho colocado expectativas demais sobre mim ou estou tentando fazer coisas demais, mostre-me a verdade em relação a isso. Ajude-me a depender do Senhor. Se outras pessoas estão colocando expectativas demais sobre mim — ou, pelo menos, mais do que sinto ter tempo para lidar agora —, ajude-me a conversar sobre isso com minha mãe, meu pai ou quem cuida de mim. Dê a essa pessoa um coração aberto para ouvir o que eu preciso falar. Obrigada porque o Senhor me dá um tempo apropriado para tudo. Ajude-me a identificar se estou tentando encaixar coisas demais para cada tempo. Ensine-me a entender como usar melhor meu tempo. Ajude-me a dedicar momentos frequentes para passar em sua companhia, assimilando sua paz. Em nome de Jesus, amém.

Também quero me lembrar de orar por estas coisas:

# Deus tem um propósito para minha vida?

Você reconhece que Deus tem um plano grandioso e um propósito elevado para sua vida? Você não precisa saber exatamente qual é agora. Só precisa saber que Deus lhe deu dons e talentos que ele vai desenvolver e usar para o bem.

Talvez você ainda não consiga enxergar todos os seus dons e talentos, mas isso não quer dizer que Deus não está ocupado em desenvolvê-los agora mesmo. Talvez outras pessoas consigam perceber isso melhor do que você. Ou quem sabe *você* os enxergue melhor do que os outros. Não importa quem os vê. O mais importante é que *Deus* vê aquilo que colocou em você e como usará para a glória dele e para abençoar os outros.

Desde que aprendi a segurar o lápis e escrever palavras, sentia vontade de escrever o tempo inteiro. Comecei quando estava no primeiro ano, criando histórias, poemas e músicas com as palavras que eu conhecia. Não pensava no sucesso que poderia fazer como escritora, nem em quanto dinheiro poderia ganhar, tampouco no quanto poderia me tornar conhecida. Só pensava em como eu amava escrever. Preferia escrever a fazer qualquer outra coisa. Amava ver as palavras ganharem vida e se comunicarem com as pessoas. Palavras bem escritas podiam levar as pessoas a enxergar e sentir coisas. O mais importante para mim, porém, é que me sentia livre e em paz quando escrevia. Sentia-me cheia de energia e felicidade. Quando não conseguia escrever, ficava frustrada e descontente. Era impossível *não* escrever. Eu precisava fazer isso. E ainda me sinto assim hoje.

Mesmo que eu sempre tenha experimentado a sensação de que queria ser escritora, não tinha a menor ideia do que fazer em relação a isso. Eu não conhecia o Senhor, por isso não fazia ideia de que ele tinha um propósito grandioso para minha vida e podia me dar direcionamento. E, claro, eu não sabia orar. Depois que aceitei o Senhor como meu Salvador, aprendi a orar e a buscá-lo para me guiar em relação a tudo. Então ele começou a me mostrar que as portas da escrita se abririam, uma a uma. E foi isso que aconteceu.

É bom identificar algo em si mesma que você ama tanto a ponto de desejar fazer isso todos os dias. Mas não é preciso decidir essa questão agora. O mais importante nessa fase é entender que você tem valor e propósito. A garota que não reconhece seu grande propósito pode desperdiçar a própria vida ao não se preparar para as coisas grandiosas que Deus planejou para ela, ou pode tentar ser como alguém que admira e não ir em busca de quem Deus *a* criou para ser. É importante você entender que será mais feliz fazendo algo que ama. E sempre terá o desejo de fazer isso bem. Pode ser qualquer coisa, desde esposa e mãe — dois dentre os maiores chamados do mundo e tarefas muito divertidas — até comandar uma empresa, ser enfermeira ou médica, comprar ou vender, ensinar, cuidar de animais ou ajudar os outros de qualquer maneira que Deus lhe mostrar. Podem ser coisas diferentes em diferentes fases da vida. Será empolgante ver o que Deus tem reservado para você.

É importante você reconhecer que foi criada para a grandeza. Isso significa que Deus quer fazer grandes coisas por seu intermédio. Você não precisa *fazer* acontecer. Só precisa seguir a Deus e *convidá-lo* para fazer acontecer, *em você* e *por você*. O problema em *não* entender que você é a princesa de Deus que tocará a vida de outras pessoas de maneira que agrada a Deus é que você pode acabar facilmente fazendo escolhas ruins na vida. Mas fazer aquilo que *Deus quer* que você faça não só cumprirá *seu propósito pessoal*, como também inspirará *outros* a encontrar o *propósito deles* também.

## Lembre-se

Você sempre fará melhor as coisas que mais ama fazer.

Todos os dias, você está crescendo e se transformando na princesa que Deus a criou para ser. Todos os seus dons e talentos levarão anos para se desenvolver por completo, mas comece pedindo a Deus agora que lhe mostre como ele a usará para cumprir os propósitos dele. Você não aprenderá tudo de uma vez. Leva tempo para revelar as qualidades que ele colocou em você. Mas isso não significa que você desperdiçará tempo com coisas que não importam ao se desenvolver até se tornar uma bela e importante jovem mulher, como Deus a criou para ser. Não se contente com menos do que Deus reservou para você. Sempre peça a Deus que lhe mostre o que é bom você fazer e o que não é tão bom assim.

Você já foi elogiada por alguma coisa que faz? Não importa o que seja, mesmo se parecer algo sem muita importância para você. Por exemplo, talvez você se surpreenda ao descobrir como é importante ser alguém *gentil*, ou uma pessoa *compreensiva*, ou ter a habilidade de *organizar* as coisas, ou de se dar bem com crianças, ou de *fazer* algo, ou de *ensinaroutros*, ou de ser naturalmente *amigável*, ou ser uma *incentivadora*, boa de papo, ou ainda capaz de ajudar as pessoas a aprender a fazer alguma coisa. Tudo que você faz, mesmo que lhe pareça pequeno, pode ser usado de maneira grandiosa para dar glória a Deus. Escreva as coisas que você consegue fazer que você ou outras pessoas já observaram.

Ainda que ninguém mais tenha visto ou comentado algo, o que é que você *ama* fazer e acredita que agrada a Deus e abençoa os outros? Escreva aqui, mesmo que você não entenda como Deus poderia usar essa habilidade a fim de cumprir o propósito dele em sua vida. Deus vê em você o potencial que ele mesmo colocou.

O que você *mais ama* fazer? O que você gostaria de fazer, mesmo que ninguém jamais lhe pagasse por isso?

O que outras meninas dizem?

**O que as meninas mais amam fazer:**

"Cuidar dos bichinhos de estimação."
"Cantar ou tocar um instrumento."
"Ler ou escrever."
"Ajudar as pessoas."
"Cuidar de quem está doente."
"Ensinar as pessoas a fazer coisas."
"Desenhar, projetar ou pintar."
"Cozinhar ou preparar refeições."
"Consertar coisas quebradas."
"Trabalhar com números."
"Falar às pessoas sobre Deus."

Cite uma ou duas coisas que você acha *mais fácil* fazer ou *mais agradável* de fazer do que as outras. Escreva-as, mesmo que não as considere muito importantes. Você pode se surpreender com o quanto alguém apreciaria sua habilidade de fazer uma dessas coisas, se as fizer para essa outra pessoa. (Pode escolher opções da lista acima, se quiser.)

______________________________________________

______________________________________________

______________________________________________

______________________________________________

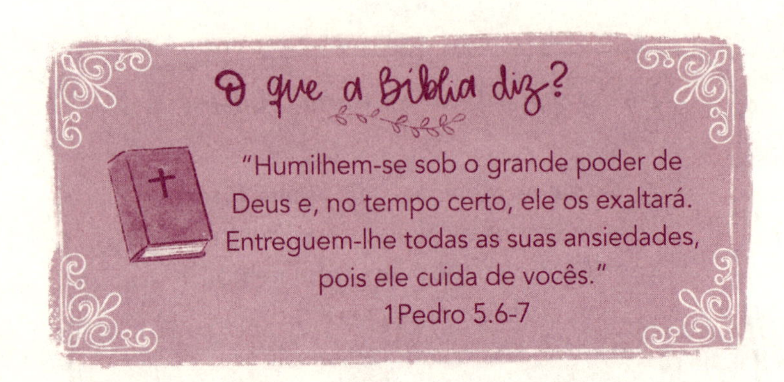


Isso significa que você deve agradecer a Deus os dons, as habilidades e os talentos que ele colocou em você e confiar que, no tempo certo, ele levará outros a reconhecerem e apreciarem sua capacidade também. Não precisa se preocupar em relação a quando ou como isso acontecerá. Apenas entregue suas preocupações a Deus quando orar, ciente de que ele cuida de você e sempre tem o seu melhor em mente. Se você for humilde perante Deus, ele a exaltará e revelará seus dons e talentos quando chegar o momento certo e você estiver pronta.

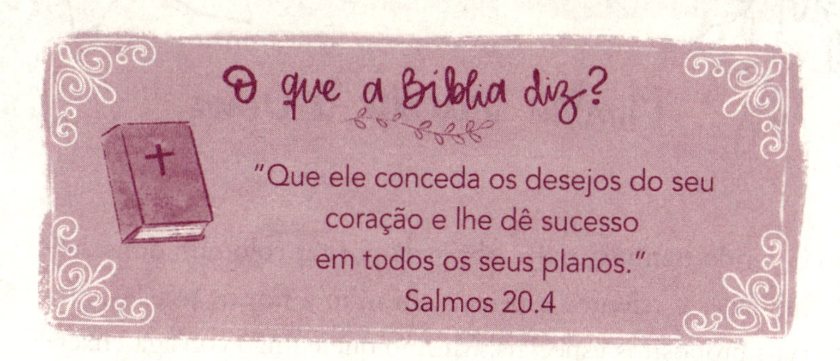


O salmo acima foi escrito pelo rei Davi para que as pessoas orassem umas pelas outras, pedindo que Deus lhes concedesse os desejos de seu coração e transformasse em realidade tudo aquilo que precisaria acontecer a fim de que os propósitos divinos para a vida delas se concretizassem. Você pode fazer essa mesma oração por si mesma ou pedir a alguém que faça essa prece por você. Também pode orá-la em favor de alguém que precisa de incentivo.

Deus a criou com planos e propósitos especiais. Ele tem grandes planos *para* você e colocou dons e talentos *em* você. Peça a Deus que a ajude a reconhecer e apreciar o propósito que ele tem para sua vida.

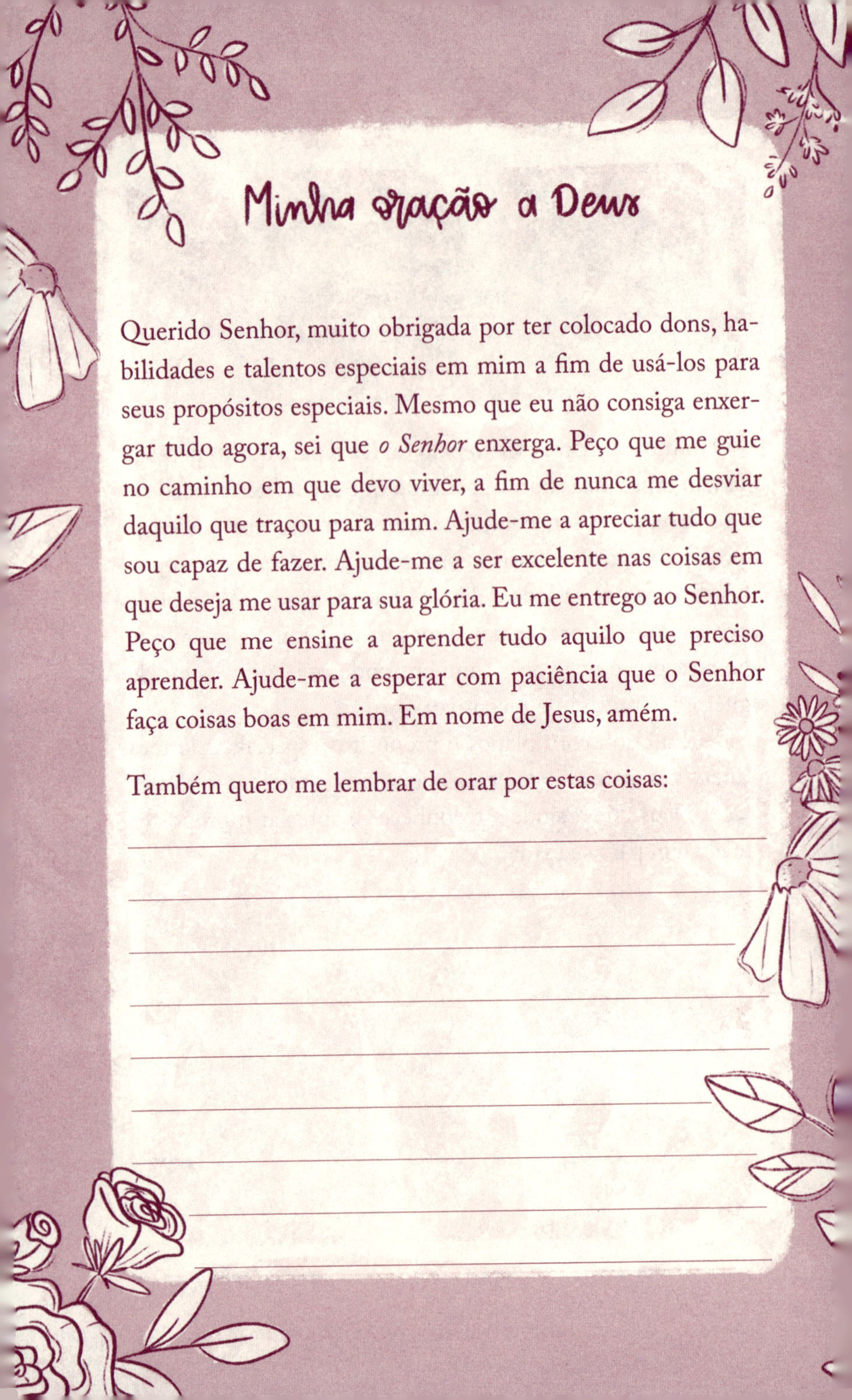

# Minha oração a Deus

Querido Senhor, muito obrigada por ter colocado dons, habilidades e talentos especiais em mim a fim de usá-los para seus propósitos especiais. Mesmo que eu não consiga enxergar tudo agora, sei que *o Senhor* enxerga. Peço que me guie no caminho em que devo viver, a fim de nunca me desviar daquilo que traçou para mim. Ajude-me a apreciar tudo que sou capaz de fazer. Ajude-me a ser excelente nas coisas em que deseja me usar para sua glória. Eu me entrego ao Senhor. Peço que me ensine a aprender tudo aquilo que preciso aprender. Ajude-me a esperar com paciência que o Senhor faça coisas boas em mim. Em nome de Jesus, amém.

Também quero me lembrar de orar por estas coisas:

# 6

# Como devo orar quando sinto medo?

*Todos têm medo de alguma coisa.* As crianças hoje sentem muito medo, pois há muitas coisas a temer. Mas Deus quer que você vá até ele sempre que sentir medo e converse com ele. Isso acontece porque ele deseja mandar seu medo embora. Não é que Deus não sabe que você sente medo. Ele sabe. Mas quer ouvir *você* falar sobre isso. Deseja que *você* converse com *ele* e lhe conte por que está com medo.

*Deus diz que devemos orar sobre tudo.* Parece muita oração, não é mesmo? Mas Deus se importa com tudo que é importante para *você*, mesmo que pareça que aquilo com que você se preocupa é grande demais até para ele. Não existe nada grande demais ou pequeno demais para ser mencionado em oração. E não há nada difícil demais para ele. Ele é o Deus do impossível. Isso quer dizer que *ele* é capaz de fazer o que é impossível para nós. Deus se importa com as grandes e pequenas coisas em sua vida.

*Você pode ter medo de coisas diferentes.* Às vezes, há bons motivos para temer. Muitas vezes, porém, não existe razão para o medo. Temos apenas medo do que *talvez possa* acontecer.

É por isso que você precisa pedir a Deus que lhe mostre se há um bom motivo quando você sente medo. Por exemplo, você já sentiu medo do escuro? É verdade que coisas perigosas podem acontecer no escuro, e como você não consegue enxergar com clareza, pode achar que essas coisas irão lhe acontecer. Mas Deus consegue enxergar *você* com clareza no escuro. E quando você pedir que ele mande embora seu temor, ele o fará.

Deus é

sempre maior do que qualquer coisa que você teme.

*Você já teve sonhos ruins e continuou com uma sensação ruim mesmo depois de acordar?* Os sonhos não são reais, mas podem deixá-la com medo. E seu *medo* é *real*, mesmo que aquilo que aconteceu no sonho *não seja.* Você pode pedir a Deus que mande esse medo embora. Às vezes você sente medo, mas não entende exatamente por quê? Você pode ter *medo* do *desconhecido.* Isso significa que está com medo porque não sabe ao certo qual é o perigo. É por isso que tantas crianças sentem medo do escuro, por não conseguirem ver o que está lá, ou se há alguma coisa. Se isso lhe acontecer, peça a Deus que lhe mostre o que está causando o medo e peça que o mande embora. Caso seu medo não vá embora, peça a sua mãe, seu pai ou outra pessoa em quem você confia que ore *com* você e *por* você em relação a isso. Não ignore seus sentimentos.

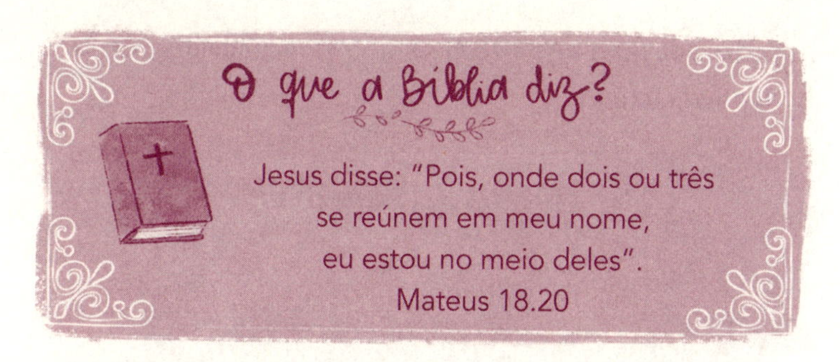


Esse texto bíblico diz que, quando você ora com apenas *mais uma pessoa* em nome de Jesus, Deus está lá *com* você em maior poder. Isso significa que suas *orações* terão maior poder. Saber que a presença de Deus está com você a fará se sentir mais segura. Também é bom conversar com seu pai, sua mãe ou quem cuida de você sobre seus temores. É muito poderoso orar com uma ou duas pessoas que amam o Senhor e conhecem o poder da oração.

## Lembre-se

Não importa quão grandes pareçam as coisas de que você tem medo, Deus é muito maior que todas elas e não há *nada difícil demais* para ele.

*Existe o medo bom e o medo ruim. O medo ruim* pode fazê-la se sentir mal, estressada e chateada, impedindo-a de fazer aquilo que é necessário fazer. *O medo bom* acontece quando você tem medo de algo que *não* deve fazer. Ele pode afastá-la de algo que *não é bom* fazer. Por exemplo, se você tem medo de fazer algo que seu pai, sua mãe ou quem cuida de você lhe disse para *não* fazer, esse é um medo *bom*. O *medo bom* pode impedi-la de fazer *algo errado.* O *medo ruim* pode impedi-la de fazer a *coisa certa.*

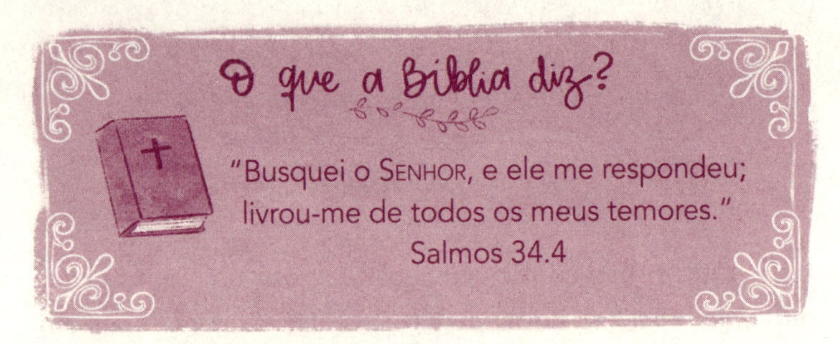


Isso significa que Deus a ouve quando você lhe pede que mande embora seus medos, e ele a libertará dos temores. Se ele não mandar embora seu medo, pergunte a Deus se é um medo bom e se ele deseja adverti-la em relação a algo. O medo bom pode impedir você de acabar em uma situação perigosa. Mantenha isso em mente.

Deus diz que seu amor manda embora todo medo. Sempre que ora a Deus, você está se achegando a ele e ele está se achegando a você. Assim, você consegue perceber melhor o amor dele por você.

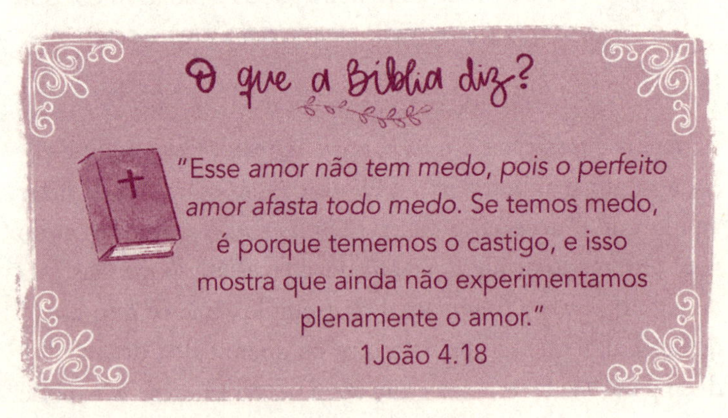

Isso significa que, se você quer se livrar do medo, volte-se primeiro para Deus. Somente o amor dele é perfeito. E ele mandará embora seu medo. Você se sentirá segura e destemida quando perceber que a presença amorosa de Deus a acompanha.

O que outras meninas dizem?

**As coisas de que as meninas mais têm medo são:**

"Que algo ruim aconteça com meus pais."

"Ser sequestrada ou assassinada por pessoas más."

"Estar em uma enchente, um incêndio ou um terremoto."

"Ser constrangida na frente dos outros."

"Não ter nenhum amigo."

"Ficar perto de uma pessoa raivosa ou agressiva."

"Ver uma aranha ou cobra por perto."

"Fazer um discurso ou apresentar um relatório na frente dos outros."

"Ficar no escuro."

"Que as outras pessoas não gostem de mim."

"Coisas ruins que acontecem no mundo."

*Uma das melhores coisas que você* pode fazer quando sente medo é *louvar a Deus*. Diga: "Obrigada, Deus, porque o Senhor está aqui comigo. Obrigada porque o Senhor é maior do que qualquer coisa de que eu tenha medo". Pergunte a ele se realmente há motivo para ter medo naquele momento e então chame sua mãe, seu pai, um membro da família ou o responsável para orar com você. Quem cuida de você precisa saber quando você sente medo, para averiguar se é necessário fazer algo para ajudá-la a se sentir mais segura.

O que deixa você com medo? Escreva sua resposta em forma de oração. (Por exemplo, se você tem medo do escuro, escreva uma oração dizendo: "Senhor, sinto medo do escuro. Ajude-me a me lembrar de que o Senhor sempre está comigo, mesmo no escuro. Também sinto medo das seguintes coisas...")

___

___

___

Não se esqueça de que Deus *sempre* está a seu lado. Ele *sempre* quer protegê-la de tudo que é assustador. Por isso, toda vez que sentir medo, converse imediatamente com ele. Deus ama ouvir você.

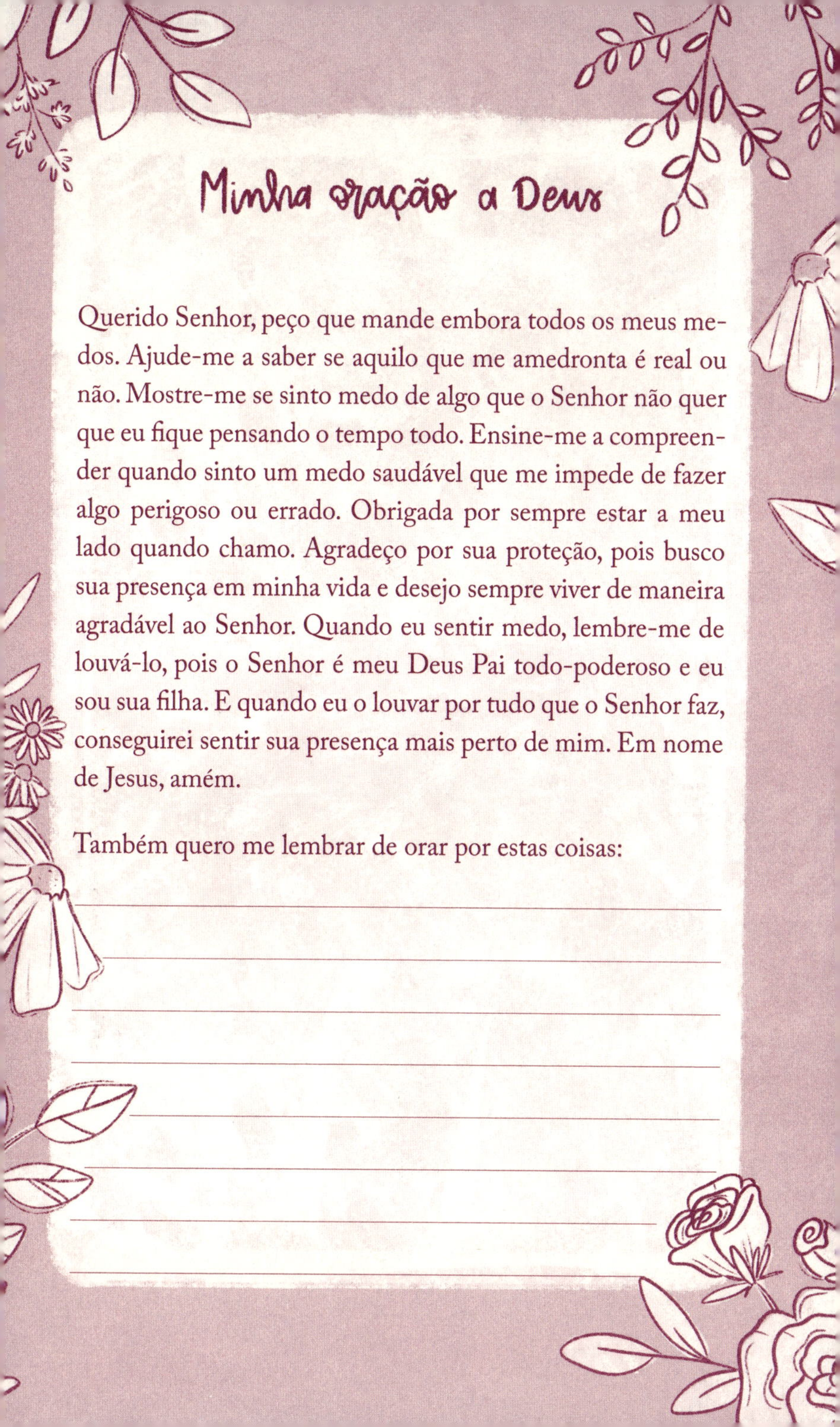

# Minha oração a Deus

Querido Senhor, peço que mande embora todos os meus medos. Ajude-me a saber se aquilo que me amedronta é real ou não. Mostre-me se sinto medo de algo que o Senhor não quer que eu fique pensando o tempo todo. Ensine-me a compreender quando sinto um medo saudável que me impede de fazer algo perigoso ou errado. Obrigada por sempre estar a meu lado quando chamo. Agradeço por sua proteção, pois busco sua presença em minha vida e desejo sempre viver de maneira agradável ao Senhor. Quando eu sentir medo, lembre-me de louvá-lo, pois o Senhor é meu Deus Pai todo-poderoso e eu sou sua filha. E quando eu o louvar por tudo que o Senhor faz, conseguirei sentir sua presença mais perto de mim. Em nome de Jesus, amém.

Também quero me lembrar de orar por estas coisas:

# Deus me ajudará a permanecer em segurança?

*Sim, Deus pode manter você em segurança.* Ele promete fazer isso. Mas você deve viver nos caminhos dele e lhe obedecer. Por isso, precisa pedir a Deus que a ajude a viver do jeito *dele.* E sempre deve pedir a *proteção dele* em tudo que fizer. Talvez você esteja se perguntando: se Deus nos protege, então por que coisas más acontecem com pessoas boas? A verdade é que Deus dá a todos o livre-arbítrio. Podemos nos recusar a viver nos caminhos de Deus e escolher nosso próprio rumo. Ou podemos escolher seguir os caminhos de Deus e lhe pedir que nos guie e conduza. Uma coisa é saber quem Deus é, outra completamente diferente é entregar a vida a ele e lhe pedir que guie você todos os dias. É importante permanecer perto de Deus por meio da oração, do louvor, da obediência e da confiança, tanto nele quanto em sua Palavra.

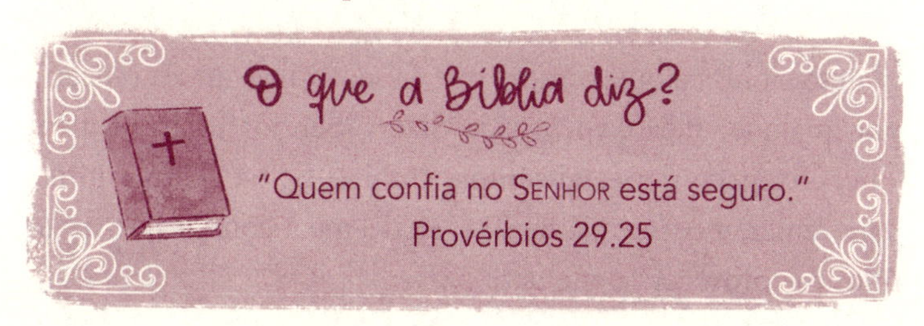

Isso significa que Deus sempre a ajuda a permanecer segura. Mas você precisa segui-lo. Se você não o segue, pode escolher fazer algo ou ir a algum lugar que não seja seguro. É preciso depositar sua confiança em Deus e permitir que ele guie você.

*Todos os dias, ao se levantar, diga: "Obrigada, Deus, por este novo dia.* Oriente-me em tudo que eu fizer hoje. Não quero simplesmente fazer aquilo que *me* dá vontade. Quero fazer a *sua* vontade. Por isso, ajude-me a sempre saber qual é a coisa certa a fazer".

Essa é uma oração extremamente importante. À medida que você ficar mais velha e se tornar adolescente, terá cada vez mais oportunidades de decidir aonde, quando e com quem vai. Você precisará de um coração que ouve a Deus, a fim de que ele possa guiá-la. Dessa maneira, ele sempre poderá mantê-la em segurança.

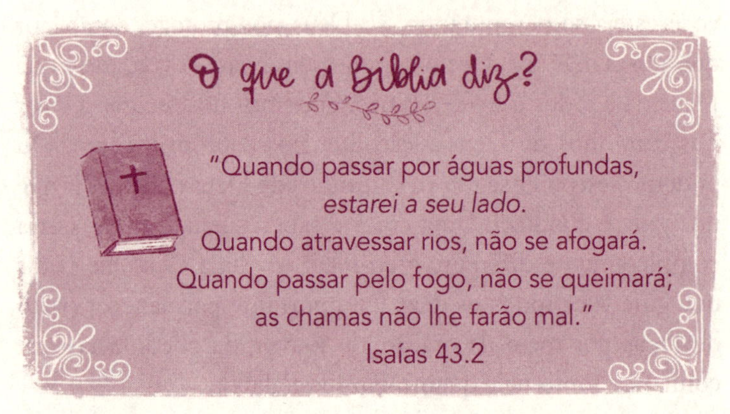


Isso significa que, sempre que se sentir insegura ou incerta por qualquer razão, você pode dizer: "Senhor Jesus, proteja-me. Obrigada por estar sempre comigo. Se há algum motivo para temer, mostre-me. Se não, ajude-me a confiar que o Senhor me protegerá e me dará paz".

## O que outras meninas dizem?

**Momentos em que algumas meninas pedem a Deus que as conserve em segurança:**

"Assim que eu me levanto."

"Sempre que preciso ir a algum lugar."

"Toda vez que vou caminhando a algum lugar."

"Se estou em um carro com alguém."

"Toda noite antes de dormir."

"Sempre que sinto medo."

"Toda vez que oro."

**Quando *você* mais sente vontade de pedir a Deus que a mantenha segura?**

______________________________

______________________________

______________________________

## Lembre-se

Não dá para ter a expectativa de sempre permanecer em segurança se você não obedece a Deus. Além disso, é importante sempre obedecer às regras que pessoas boas estabelecem a fim de preservar sua segurança.

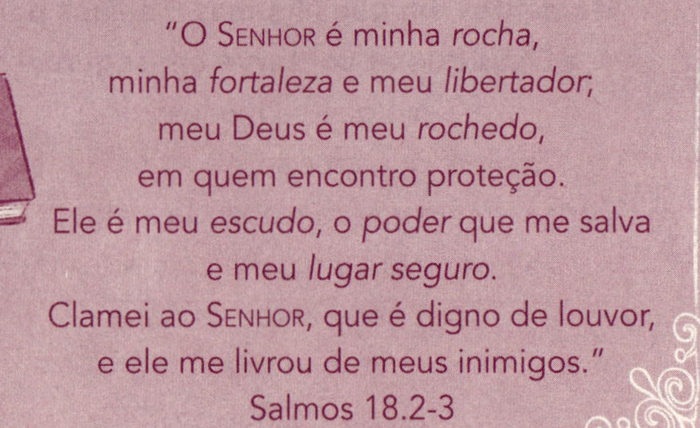


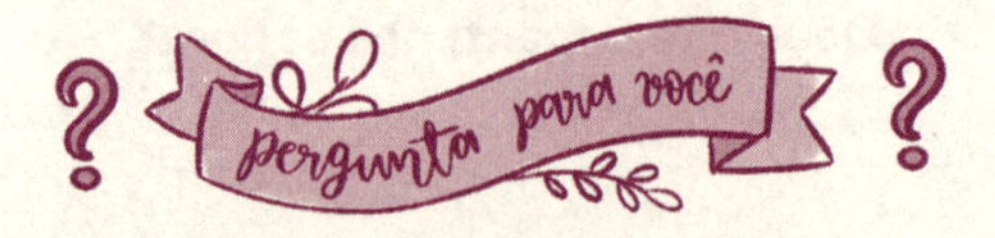


Quais são algumas das regras que seus pais, professores ou pessoas que cuidam de você definiram a fim de mantê-la segura?

_______________________________________________

_______________________________________________

_______________________________________________

_______________________________________________

Leia os versículos a seguir e escreva as regras que Deus lhe mostrar.

**1. "Dele receberemos tudo que pedirmos, pois lhe obedecemos e fazemos o que lhe agrada" (1João 3.22).**

O que você precisa fazer?

---

O que acontece quando você faz isso?

---

2. "Se você se refugiar no SENHOR, se fizer do Altíssimo seu abrigo, nenhum mal o atingirá, nenhuma praga se aproximará de sua casa" (Salmos 91.9-10).

O que você precisa fazer?

---

O que acontece quando você faz isso?

---

Isso significa que Deus a salvará de qualquer ataque que o inimigo quiser lançar sobre você. Com base nesses versículos da Bíblia, cite o que Deus quer ser para você. O que *você* deve fazer?

---

Há algo importante que você deve saber. Talvez você até já saiba. Caso, porém, ainda não saiba, é fundamental que tome conhecimento. É o seguinte: existem pessoas más no mundo. Gente muito má. É difícil imaginar por que alguém escolheria ser assim tão mau, mas a maioria das pessoas más quer dinheiro e poder. E elas fazem o que for preciso para ter mais dinheiro e mais poder. Deus odeia esse mal e quer que você o busque todos os dias, pedindo a ele sua proteção. Também quer que você faça *sua parte*, permanecendo próxima a ele e fazendo o que ele pede.

Aqui estão algumas regras excelentes para você se lembrar, a fim de permanecer segura:

1. Nunca entre em um carro com alguém que você não conhece.
2. Jamais vá andando até um lugar sem olhar em volta para ver se é seguro.
3. Nunca abra a porta de sua casa para um desconhecido.
4. Obedeça às pessoas em quem você confia e que a instruem.
5. Saiba quais são as regras de todos os lugares aonde for.
6. Obedeça a seus pais ou quem cuida de você.
7. Não fique na companhia de ninguém que a faça se sentir desconfortável.
8. Conte a alguém de sua confiança sobre qualquer pessoa que a assuste.
9. Não converse com estranhos pela internet, nem presencialmente.
10. Se um estranho falar com você pelo computador, desligue e conte para um adulto de confiança imediatamente.

11. Nunca tente se encontrar com um estranho com quem você conversa pela internet.
12. Recuse-se a ser influenciada a fazer algo errado por alguém que você achava que era seu amigo. Se está tentando levar você para o mau caminho, então essa pessoa não é amiga de verdade.
13. Não deixe ninguém, nem mesmo amigos ou membros da família, lhe tocar de maneira que a faça se sentir desconfortável. Conte a alguém de confiança caso isso acontecer.
14. Não vá a lugar nenhum com ninguém quando não se sente completamente à vontade.

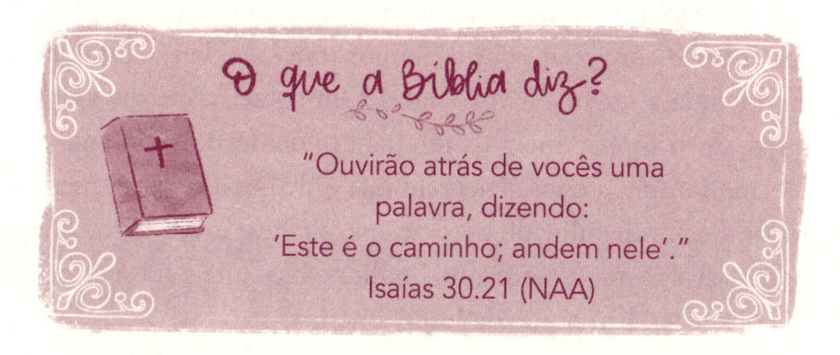


Isso significa que Deus falará a seu coração em relação ao que fazer. *Deus sempre a guiará quando você pedir*. Mas é preciso conversar com ele todos os dias, a fim de se familiarizar com a prática de ouvi-lo falar a seu coração. E é assim que ele a guiará. Você o ouvirá dizer: "Ande por *este* caminho, *não por aquele*".

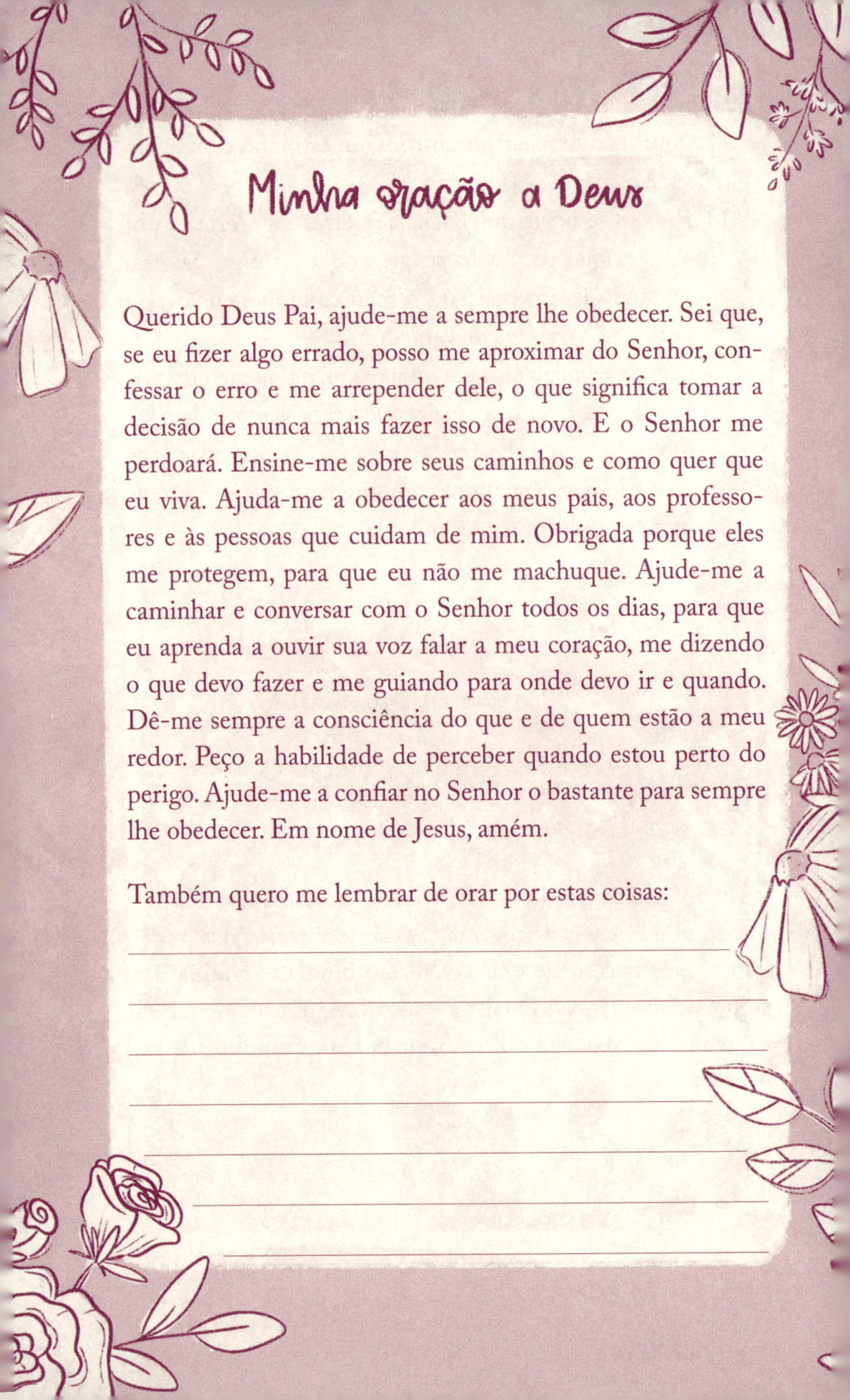

# Minha oração a Deus

Querido Deus Pai, ajude-me a sempre lhe obedecer. Sei que, se eu fizer algo errado, posso me aproximar do Senhor, confessar o erro e me arrepender dele, o que significa tomar a decisão de nunca mais fazer isso de novo. E o Senhor me perdoará. Ensine-me sobre seus caminhos e como quer que eu viva. Ajuda-me a obedecer aos meus pais, aos professores e às pessoas que cuidam de mim. Obrigada porque eles me protegem, para que eu não me machuque. Ajude-me a caminhar e conversar com o Senhor todos os dias, para que eu aprenda a ouvir sua voz falar a meu coração, me dizendo o que devo fazer e me guiando para onde devo ir e quando. Dê-me sempre a consciência do que e de quem estão a meu redor. Peço a habilidade de perceber quando estou perto do perigo. Ajude-me a confiar no Senhor o bastante para sempre lhe obedecer. Em nome de Jesus, amém.

Também quero me lembrar de orar por estas coisas:

___

___

___

___

___

___

___

# 8 Por que preciso de discernimento e como consegui-lo?

Você já deve ter ouvido a palavra *discernimento*. Muitas escolas e igrejas ensinam as crianças sobre isso. E o motivo é que se trata de uma qualidade muito necessária para os pré-adolescentes e adolescentes desta geração. E eu sei dessas coisas porque as meninas de sua idade que entrevistei para escrever este livro me contaram. Algumas meninas nunca ouviram a palavra *discernimento* antes e não sabem o que ela significa, nem por que precisam disso, mas é uma palavra muito importante de entender.

Se você tem discernimento, isso quer dizer que tem a habilidade de demonstrar bom senso e compreensão em sua vida pessoal. Você precisa ter discernimento porque ele a ajuda a determinar o que é *verdade* em relação a uma pessoa, um lugar ou uma situação, e também o que não é. Isso significa que você é capaz de julgar ou entender se algo ou alguém é *bom* ou *não*. Ou se o lugar onde você se encontra é *seguro* ou *não*. Nos dias de hoje, é absolutamente fundamental que você consiga discernir essas coisas.

Um dos maiores presentes de Deus para você é a *sabedoria.* Ter sabedoria significa que você é sábia em relação a situações e pessoas, além de entender como obedecer a Deus. Não é algo que está apenas em seu *cérebro.* Deus também lhe dá conhecimento e entendimento em seu *espírito.* Como muitos dos presentes de Deus, você precisa pedir para receber. Toda vez que você diz: "Senhor, por favor, me dê mais sabedoria", sua sabedoria aumenta. Além disso, toda vez que você lê a Palavra de Deus, a Bíblia, sua sabedoria cresce.

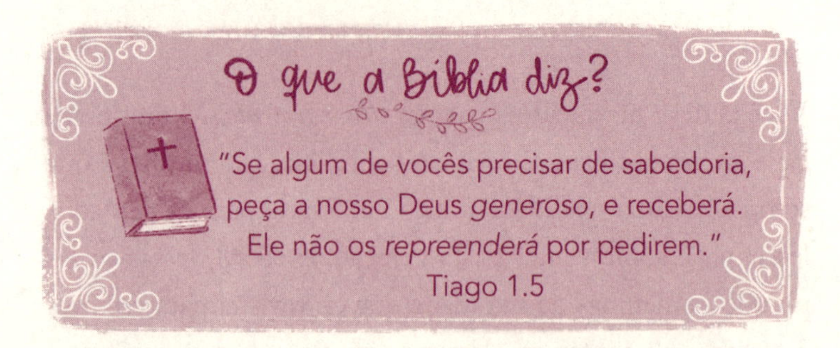


Isso significa que, quando você pede sabedoria a Deus, ele a ajudará a saber o que fazer e a diferenciar entre o certo e o errado. Deus é *generoso*, ou seja, ele lhe dará toda a sabedoria de que você necessita. E *não a repreenderá*. Isso significa que ele nunca pensará que você está pedindo muito ou com frequência exagerada.

Talvez você esteja pensando: "Por que eu preciso de sabedoria?". Você precisa de sabedoria a fim de tomar decisões sábias. E a sabedoria que Deus *lhe* dá é maior que a sabedoria daqueles que não conhecem a Deus. Eles têm a sabedoria mundana. Mas você tem a *sabedoria divina.* Isso quer dizer que você pode tomar uma decisão sábia sem nem sequer se dar conta no momento, pois Deus lhe deu esse dom.

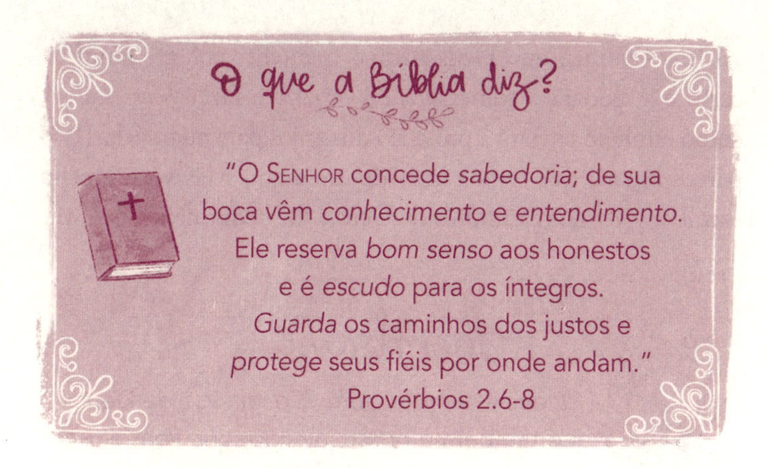


Isso significa que Deus lhe dará sabedoria e entendimento para servir de *escudo* contra o perigo. Ele *guardará* você e a *protegerá*. Quando você tem sabedoria divina, toma as decisões certas. Os *justos* são as pessoas que sempre querem fazer o certo e viver nos caminhos de Deus. Os *fiéis* são aqueles que conhecem e amam a Jesus, servindo ao Senhor.

O mais importante no que diz respeito a ter a sabedoria que *Deus* lhe dá é que você pode contar com ela no momento certo, quando mais precisar. Em um instante, quando precisar tomar uma decisão rápida, fará a escolha certa porque tem orado e pedido a Deus que lhe dê sabedoria. E ela pode protegê-la do mal.

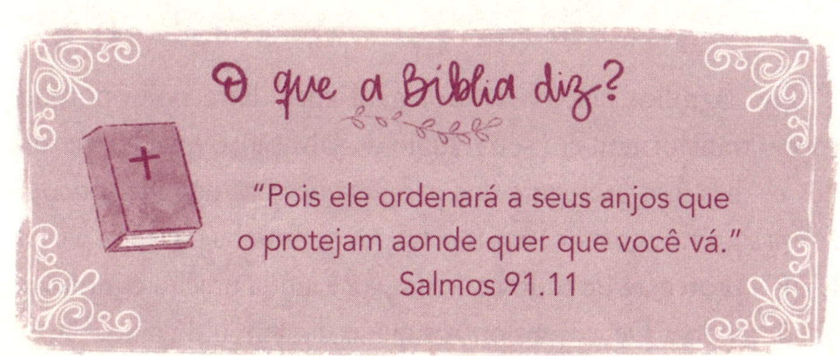

Isso significa que Deus não só manterá você no caminho certo e a ajudará a tomar *decisões corretas* e fazer *boas escolhas*, como também enviará a proteção dos anjos para guardá-la. (Isso parece sugerir que temos mais de um anjo.) Mas você precisa escolher viver nos caminhos de Deus e lhe pedir mais sabedoria.

## Lembre-se

Deus é sempre bom. É o inimigo de Deus, que também é *nosso* inimigo, que vem e tenta fazer coisas ruins. Mas você tem poder sobre seu inimigo quando ora em nome de Jesus.

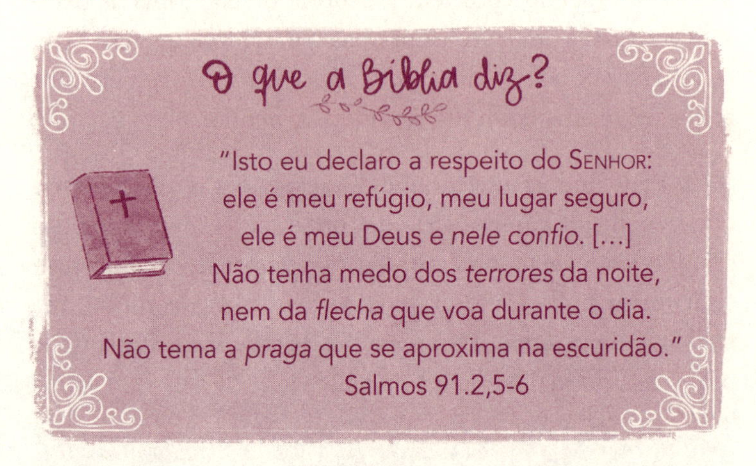

## O que a Bíblia diz?

"Isto eu declaro a respeito do Senhor:
ele é meu refúgio, meu lugar seguro,
ele é meu Deus e *nele confio*. [...]
Não tenha medo dos *terrores* da noite,
nem da *flecha* que voa durante o dia.
Não tema a *praga* que se aproxima na escuridão."
Salmos 91.2,5-6

Isso significa que Deus protegerá você dia e noite porque você o transformou em seu refúgio de salvação, o qual busca todos os dias. E a protegerá dos perigos que você não identificou. *Praga* significa uma doença mortal que se espalha por toda parte. Deus a protegerá de tudo isso, mas você ainda precisa continuar obedecendo a Deus e aos outros que estão tentando ajudá-la.

## Lembre-se

Quando você tem sabedoria divina, Deus a ajuda a tomar as decisões corretas. Por isso, busque-o todos os dias, pedindo mais sabedoria, além da habilidade de discernir aquilo que necessita pessoalmente saber.

*O discernimento a ajudará a reconhecer quando determinada pessoa a leva a se sentir desconfortável.* Se isso acontecer, não ignore. Peça a Deus que lhe diga, pelo poder do *Espírito Santo* falando ao *seu espírito*, o que fazer. Caso não se sinta segura ou algo esteja errado na situação em que você se encontrar, não ignore. Diga: "Deus Pai, mostre-me tudo que eu preciso ver sobre essa pessoa, esse lugar ou essa situação na qual me encontro". Deus mostrará uma imagem em sua mente, ou você a sentirá em seu coração, que falará acerca do que você deve fazer. Por exemplo, *não é insensato* ter amigos. Mas é *insensato* ter amigos que não vivem de acordo com a vontade de Deus. Mesmo alguém que você acha que é seu amigo pode fazer ou dizer algo que a deixe desconfortável. Você necessita de *discernimento pessoal*, ou seja, a habilidade de *discernir* ou *sentir* algo que *não parece certo para você.* É algo que você sente pessoalmente, mesmo que não consiga explicar exatamente por quê. Não ignore essas sensações. Pergunte a Deus *por que* você se sente assim. Converse com sua mãe, seu pai, a pessoa que cuida de você ou alguém em quem você confia totalmente e peça que ore com você sobre o assunto.

## Lembre-se

Nunca ignore o que sente em seu espírito em relação a alguém, algum lugar ou alguma situação; confie no discernimento que Deus lhe dá.

Nunca confie em um estranho, nem em alguém que pode machucá-la. Não toque ninguém que faz você se sentir desconfortável. E não permita que essa pessoa toque você de maneira alguma. Você também jamais deveria ser forçada a *fazer* algo que a deixa desconfortável. Quando você possui discernimento, tem a sensação ou o conhecimento sobre em quem confiar ou não. Quando estiver com alguém que a deixa desconfortável, afaste-se o mais rápido que conseguir em segurança.

### O que outras meninas dizem?

**O que meninas com discernimento fazem quando uma situação, um lugar ou uma pessoa provoca nelas uma sensação de desconforto:**

"Saio da situação."
"Me afasto imediatamente da pessoa."
"Desligo o computador."
"Apago qualquer coisa relacionada do celular."
"Conto para um adulto de confiança."
"Peço a Deus mais discernimento."
"Oro pedindo a Deus que me proteja."
"Peço a Deus que me mostre o que fazer."

sempre disposto a lhe dar mais sabedoria e discernimento quando você pedir.

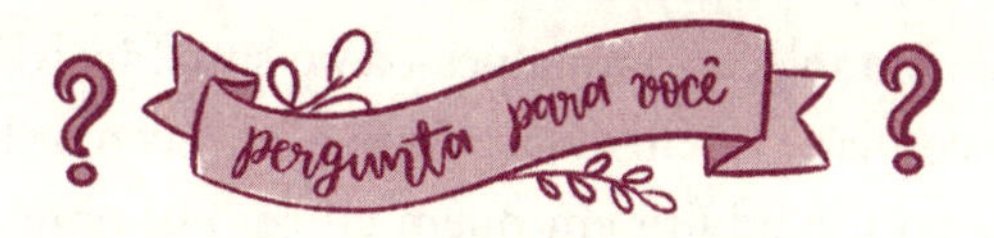


Se alguém que você não conhece, ou se uma pessoa que você conhece, mas, por algum motivo, não se sente segura perto dela, vier em sua direção, o que você deve fazer? (Caso não tenha certeza, pergunte a seu pai, sua mãe ou quem cuida de você o que eles querem que você faça nesse tipo de situação.)

______________________________________________

______________________________________________

______________________________________________

Peça a Deus que lhe dê sabedoria e discernimento todos os dias. Jamais haverá um dia em que você não precisará de ambos, a fim de sempre tomar boas decisões. A razão para ser tão importante tomar decisões acertadas todos os dias é que há maldade no mundo e pessoas ruins tentam fazer armadilhas para apanhar as garotas. Deus quer que você tenha discernimento da parte *dele*, para que não caia em nenhuma dessas armadilhas. Peça ao Senhor que lhe dê sabedoria divina e discernimento pessoal, a fim de que sempre tome as decisões corretas para sua vida.

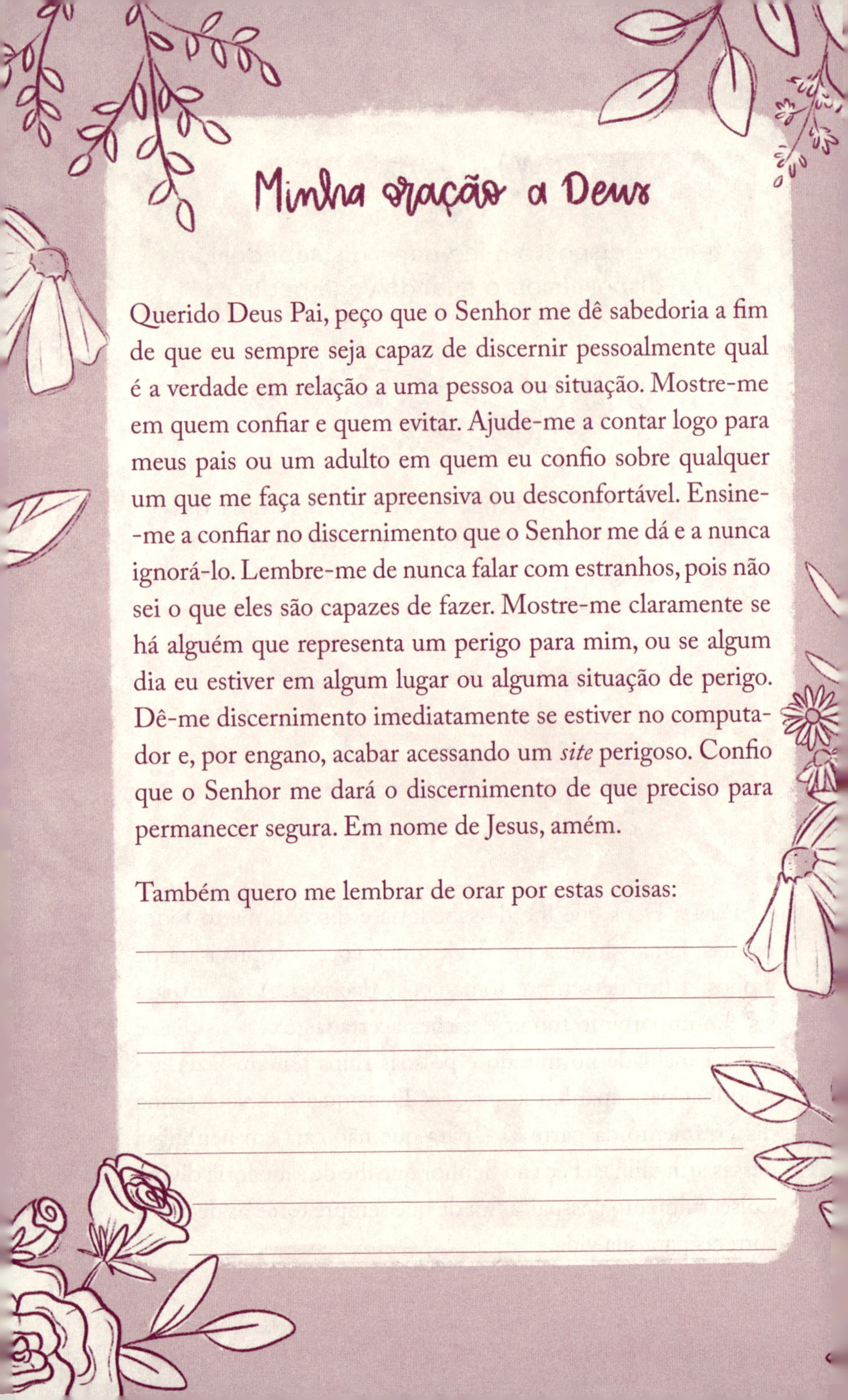

# Minha oração a Deus

Querido Deus Pai, peço que o Senhor me dê sabedoria a fim de que eu sempre seja capaz de discernir pessoalmente qual é a verdade em relação a uma pessoa ou situação. Mostre-me em quem confiar e quem evitar. Ajude-me a contar logo para meus pais ou um adulto em quem eu confio sobre qualquer um que me faça sentir apreensiva ou desconfortável. Ensine--me a confiar no discernimento que o Senhor me dá e a nunca ignorá-lo. Lembre-me de nunca falar com estranhos, pois não sei o que eles são capazes de fazer. Mostre-me claramente se há alguém que representa um perigo para mim, ou se algum dia eu estiver em algum lugar ou alguma situação de perigo. Dê-me discernimento imediatamente se estiver no computador e, por engano, acabar acessando um *site* perigoso. Confio que o Senhor me dará o discernimento de que preciso para permanecer segura. Em nome de Jesus, amém.

Também quero me lembrar de orar por estas coisas:

# Como posso ter bons relacionamentos sempre?

Toda garota precisa de bons relacionamentos com amigos e familiares. Ambos são importantes para sua vida. Relacionamento é o modo como você e outra pessoa se relacionam uma com a outra. Se o relacionamento é *agradável*, se *ambos se sentem bem* na companhia do outro e *despertam o melhor* um no outro, então se trata de um bom relacionamento. É importante que *todos* os seus *relacionamentos* sejam assim, pois eles ajudam sua vida inteira a ficar bem. Se você se relaciona com alguém que muitas vezes a incomoda, faz você se sentir triste, desanimada, desconfortável ou mal consigo mesma — sentindo vontade de evitar essa pessoa ou ficando mais feliz quando *não* está perto dela — esses são sinais de um relacionamento difícil ou ruim.

Toda garota gosta de ter boas amigas. Ela sabe que amigas são divertidas e valiosas. Às vezes, porém, você pode ter uma amizade que acaba não se mostrando tão boa quanto imaginava. Se você tem uma amiga difícil, ore por ela e pergunte a Deus o que fazer. Suas orações podem ajudá-la a ser uma amiga melhor. Ou, quem sabe, você precise orar para que cada uma de vocês encontre outra amiga mais compatível.

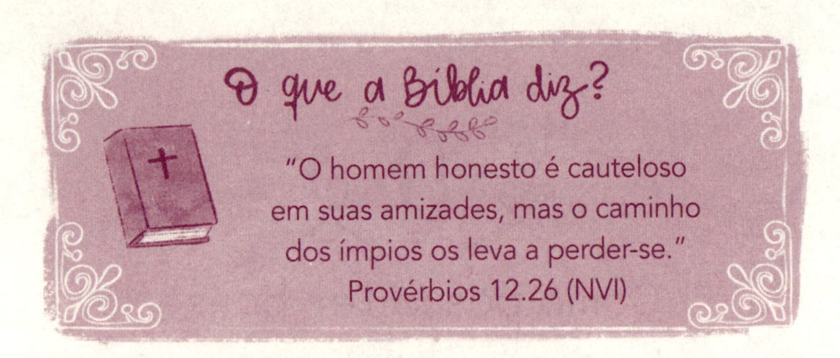


Isso significa que *você escolhe* quem você quer ter como amigas. Por isso, é importante *escolher com cuidado.* O melhor jeito de fazer isso é perguntando a Deus quem deve ser sua amiga. Ore sobre todas as possíveis amigas que entrarão em sua vida. Não dá para *obrigar* alguém a ser sua amiga. Essa pessoa precisa *escolher* ser *sua* amiga também.

Muitas vezes, somos colocados ao lado de pessoas que não seriam nossas primeiras opções de amizade, mas devemos fazer nosso melhor e ser amistosos. Sem dúvida, você não quer ser amiga de alguém que a afastará de Deus, ou a incentivará a fazer coisas que não agradam a Deus nem a seus pais. Depois de conhecer alguém que talvez se torne uma amiga, pergunte a Deus se essa pessoa seria uma boa amiga para você.

Se você escolher alguém que não se mostra uma boa amiga, continua a ter a escolha de não ser mais amiga dela. Peça a Deus que lhe mostre como lidar com a situação. Há maneiras de lidar com isso que não machucam os sentimentos da pessoa, nem a deixam brava. Peça ajuda a sua mãe, seu pai ou sua melhor amiga.

A Bíblia diz que nós nos tornamos parecidos com nossos amigos. Se você passar muito tempo com uma amiga cheia de hábitos ruins, pode acabar parecida com ela e desenvolver os mesmos maus hábitos. Se você tem uma amiga que exerce má influência, pode acabar entrando em confusão. *Influência* é o modo como uma pessoa pode afetar outra. E você pode ser afetada de maneira positiva ou negativa. Preste atenção a isso.

Uma boa amiga, em contrapartida, despertará o melhor em você. Ela a influenciará com bons hábitos, e você pode inspirar coisas boas nela também.

### O que outras meninas dizem?

**Algumas meninas procuram as seguintes qualidades em uma amiga:**

"Ela deve amar a Deus e seus caminhos."
"Ela não deve fazer coisas erradas ou más."
"Ela precisa se importar com as outras pessoas."
"Ela nunca deve praticar *bullying*."
"Ela deve ser sempre bondosa."
"Ela não deve falar mal dos outros."
"Ela precisa ser uma pessoa com quem é fácil conversar."
"Ela deve desejar sempre fazer o que é certo."

Ore por todas as amigas que você terá ao longo da vida e peça a Deus que lhe mostre se vocês farão bem uma para a outra. Pergunte-lhe se ela será uma boa influência sobre você e se você será uma boa influência sobre ela. Pergunte a seu pai, sua mãe ou uma amiga próxima, caso não tenha certeza. Caso se mude para um novo bairro ou uma nova escola, é claro que sentirá vontade de fazer amigas nesse lugar. Por isso, assim que puder, ore para que Deus coloque em sua vida novas amigas que o amam. Continue a orar até encontrá-las, ou até que *elas* encontrem *você*, e então ore para que suas amizades sejam sempre agradáveis a Deus. Sempre peça a Deus que lhe mostre quem seria uma boa amiga para você.

o melhor amigo que você pode ter.

Se você perceber que tem amizade com alguém que não desperta o melhor em você, ou a está perturbando, peça a Deus que tire essa pessoa de sua vida. Isso não significa que essa pessoa desaparecerá, nem que algo ruim acontecerá com ela. Quer dizer apenas que encontrará outra amiga que será melhor para ela. Peça a Deus que abençoe essa pessoa com novos amigos ou um novo lugar melhor para viver. Ou peça que Deus a ajude a entregar a vida a ele e aprender a viver segundo os caminhos *dele*.

## Lembre-se

Um amigo que é uma má influência levará você a fazer coisas contrárias às leis de Deus ou a convencerá a fazer algo que lhe causará problemas.

Você pode ter amizade com pessoas que não conhecem a Deus, pois talvez você seja a única para lhes falar sobre Deus e lhes mostrar quem ele é. Mas suas amigas mais íntimas devem ser meninas que amam o Senhor, pois vocês darão ânimo umas às outras em sua caminhada com Deus.

Uma boa amiga é alguém com quem você pode compartilhar seus sentimentos sem sofrer julgamento. Ela orará com você sobre seus problemas e conversará a respeito deles, além de ajudá-la a ver o que você pode fazer para melhorar as coisas. E você pode fazer o mesmo por ela. Toda amizade pode passar por momentos em que uma das partes fica brava ou magoada, ou em que ambas discordem uma da outra, mas, com uma *boa amiga*, sempre dá para conversar e orar juntas, a fim de resolver as coisas. Isso acontece porque ambas valorizam uma à outra e estão dispostas a fazer isso por uma boa amiga.

Isso quer dizer que um bom amigo é sempre amoroso e gentil. Mas gostar de alguém ou amar uma pessoa não significa jamais discordar dela. E discordar de sua amiga não significa que vocês não se importam mais uma com a outra. Também não quer dizer que você é uma má pessoa. Mas se estiver acontecendo o tempo inteiro, pode significar que vocês não fazem bem uma para a outra.

Se uma amiga é sempre crítica com você ou diz com frequência palavras que a deixam se sentindo mal consigo mesma, ela não é uma boa amiga. Se uma amiga sempre a deixa triste depois de você passar tempo com ela, não é uma boa amiga. Pelo menos, não para você. Peça a Deus que lhe dê uma nova amiga que não seja crítica, nem fique falando coisas que a deixem se sentindo mal.

Lembre-se

Você não escolhe os membros de sua família, mas *pode escolher* suas amigas. Peça a Deus que a ajude a escolher com sabedoria.

**Ore por sua família**

Uma das melhores maneiras de ter bons relacionamentos com seus familiares é orando por eles. Há algo que você deve ter em mente quando orar por qualquer membro de sua família: não dá para *forçar* ninguém a fazer o que você acha que deve ser feito, nem mesmo um familiar. Você pode estar completamente certa no que acha que deve ser feito, mas não se esqueça de que Deus deu livre-arbítrio a cada um de nós. Ele nos deixa escolher o que fazemos ou dizemos. E faz isso porque quer que nós *escolhamos amá-lo* e *viver segundo seus caminhos*. E deseja que nossos familiares façam o mesmo. E, às vezes, eles podem ser as pessoas mais difíceis de todas.

Os amigos vão e vêm, mas sua família sempre será sua família. Por isso é tão importante orar por seus familiares com frequência. Sua vida será muito mais feliz se não houver sempre raiva, brigas ou distanciamento entre vocês. Ore por seu relacionamento com sua mãe, seu pai, seu irmão, sua irmã, sua avó, seu avô, seus tios e tias, primos, madrasta, padrasto ou quem cuida de você.

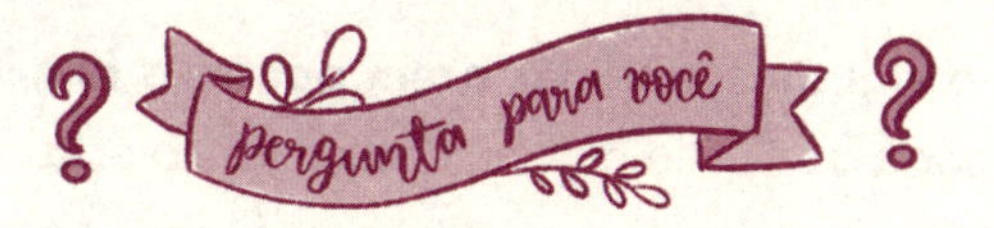


Quais são os membros de sua família por quem você mais gostaria de orar?

Se você não souber como orar por eles — se não for óbvio — pergunte-lhes sobre o que gostariam que você orasse em relação a eles. Você também pode pedir a Deus que lhe mostre como ele gostaria que você orasse por eles. Anote seus pedidos de oração para cada pessoa citada acima.

## Lembre-se

Quanto mais você ora,
mais verá respostas a suas orações.

### O que outras meninas dizem?

**Como algumas meninas oram por seus familiares:**

"Oro por tudo aquilo que sei que os está preocupando."

"Oro por como eu gostaria que fosse nosso relacionamento."

"Oro por aquilo que desejo que Deus faça em nosso relacionamento."

"Oro para que sejamos mais gentis uns com os outros."

"Oro para que conversemos mais uns com os outros."

"Oro para que consigamos compartilhar como nos sentimos uns com os outros."

"Pergunto a eles quais são os pedidos de oração que desejam que eu apresente a Deus."

### O que a Bíblia diz?

"Honre seu pai e sua mãe. Assim você terá vida longa e plena na terra que o SENHOR, seu Deus, lhe dá."
Êxodo 20.12

Isso significa que você terá uma vida longa e boa se honrar seu pai e sua mãe. Uma das melhores maneiras de honrar pai e mãe é por meio do amor e da obediência. Outra forma de honrá-los é orando por eles.

Você pode orar por seu pai e sua mãe pedindo que haja muita paz, união e amor entre eles. *União* significa que eles conseguem concordar sem brigar.

Muitas crianças não moram com a mãe ou com o pai. Há vários motivos para isso. Pode ser por causa do divórcio, porque alguém morreu ou foi embora. Oro para que nenhuma dessas coisas aconteça com você, mas, se algo assim já tiver acontecido, saiba que não é sua culpa, em nenhum aspecto. Um pai ou uma mãe pode tomar uma decisão que afete gravemente a vida dos filhos, mas isso não significa que sua vida será arruinada. Deus pode fazer coisas grandiosas em sua vida, e ele fará! Você pode crescer e se tornar forte, inteligente e bem-sucedida, nutrindo um bom relacionamento com Deus e com as pessoas. Os planos de Deus para sua vida se realizarão, independentemente do que qualquer membro de sua família faça ou deixe de fazer.

### O que outras meninas dizem?

**Algumas maneiras pelas quais as meninas honram pai e mãe ou quem cuida delas:**

"Eu *digo* que os amo."

"Encontro maneiras de *demonstrar* meu amor por eles."

"Eu lhes *obedeço*."

"Eu *faço algo* de que eles gostem."

"Eu os *ajudo* a fazer as coisas."

"Eu *oro* por eles."

"Eu pergunto quais são seus pedidos de oração para que eu leve a Deus."

Quais são algumas maneiras que você pode pensar para honrar seu pai ou sua mãe (ou quem quer que cuide de você)?

__________________________________________________

__________________________________________________

__________________________________________________

__________________________________________________

Quando você orar por seus familiares, tenha em mente que suas orações podem ser poderosas na vida deles e impactá-los de muitas maneiras. Mas eles ainda podem se determinar a viver de uma maneira que não lhe parece apropriada. Caso isso aconteça, não significa que você falhou de alguma forma, nem que suas orações não são poderosas. Só quer dizer que tomaram a decisão de fazer o que *eles* querem.

Uma vez que os bons relacionamentos são, e sempre serão, cruciais para sua felicidade, orar por eles é muito importante. Não se esqueça, porém, de que nem todo relacionamento será como você quer. Mas não deixe que isso a desanime. Algumas pessoas são difíceis e você não pode mudá-las. Agradeça a Deus porque ele sempre será um bom amigo para você e pode colocar pessoas boas em sua vida. E Deus nunca muda.

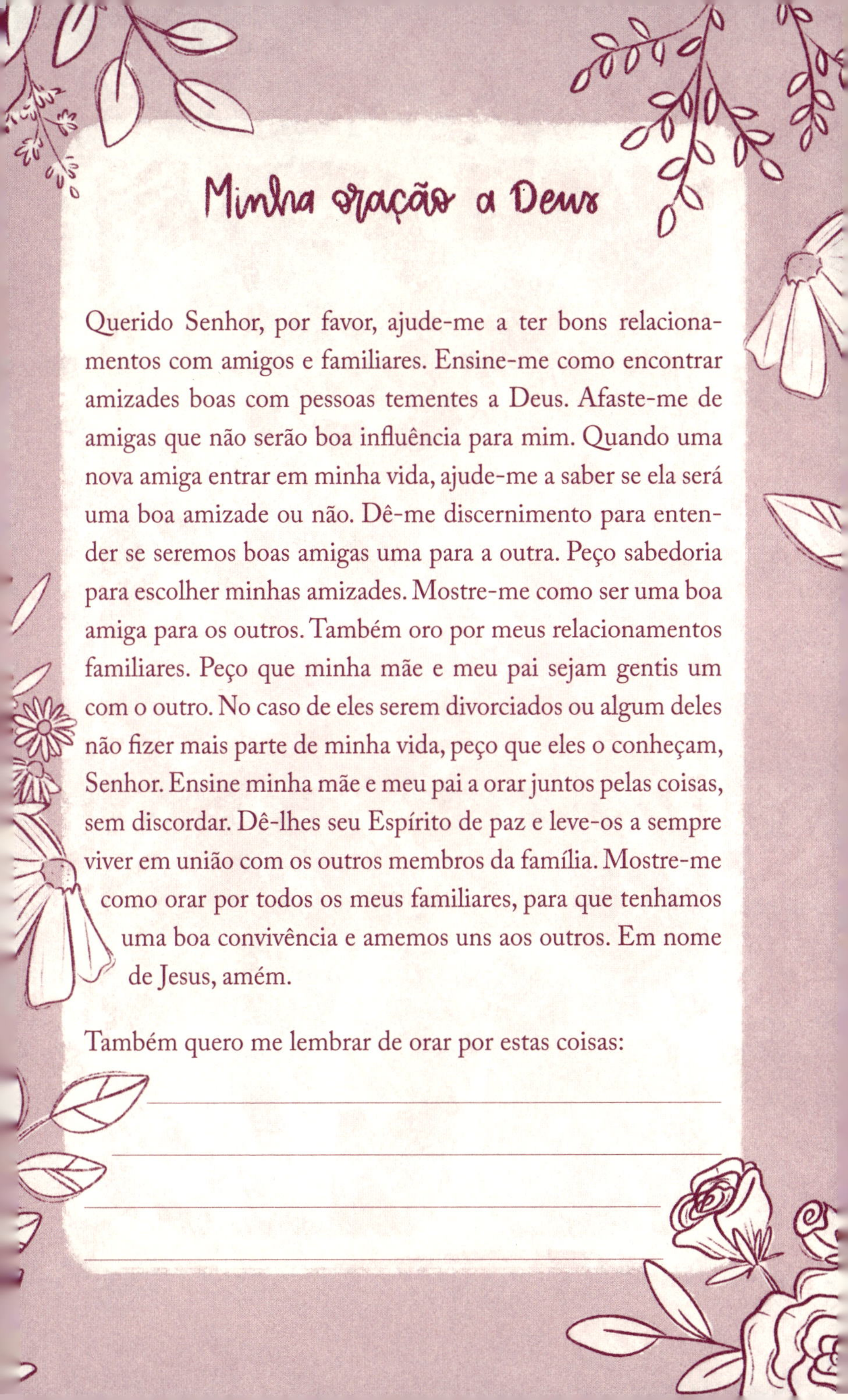

# Minha oração a Deus

Querido Senhor, por favor, ajude-me a ter bons relacionamentos com amigos e familiares. Ensine-me como encontrar amizades boas com pessoas tementes a Deus. Afaste-me de amigas que não serão boa influência para mim. Quando uma nova amiga entrar em minha vida, ajude-me a saber se ela será uma boa amizade ou não. Dê-me discernimento para entender se seremos boas amigas uma para a outra. Peço sabedoria para escolher minhas amizades. Mostre-me como ser uma boa amiga para os outros. Também oro por meus relacionamentos familiares. Peço que minha mãe e meu pai sejam gentis um com o outro. No caso de eles serem divorciados ou algum deles não fizer mais parte de minha vida, peço que eles o conheçam, Senhor. Ensine minha mãe e meu pai a orar juntos pelas coisas, sem discordar. Dê-lhes seu Espírito de paz e leve-os a sempre viver em união com os outros membros da família. Mostre-me como orar por todos os meus familiares, para que tenhamos uma boa convivência e amemos uns aos outros. Em nome de Jesus, amém.

Também quero me lembrar de orar por estas coisas:

______________________________

______________________________

______________________________

______________________________

# 10

## De que maneiras simples posso demonstrar bondade aos outros?

Deus planta sementes em seu coração. E toda vez que você ora, lê a Palavra de Deus, diz ao Senhor o quanto o ama, ou o louva e o adora, ele rega essas sementes, assim como você pode regar uma macieira. E, como uma macieira, os frutos são produzidos no tempo certo. Deus chama esse *fruto espiritual* em seu *coração* de "fruto do Espírito".

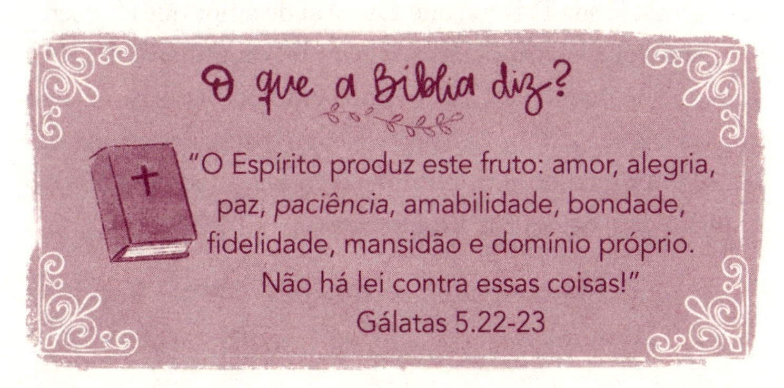


Isso significa que essas sementes que vêm do Espírito Santo de Deus e são plantadas em você crescerão. Parte do fruto é a paciência, também chamada, em algumas versões, de *longanimidade.* Quem não ama e aprecia uma pessoa amorosa, alegre, pacífica, paciente, amável, bondosa, fiel, gentil e capaz de demonstrar sempre autocontrole? Todos necessitamos da ajuda de Deus para revelar traços maravilhosos de caráter como esses.

Não sei se alguém consegue ser perfeitamente todas essas coisas o tempo todo. Mas Deus sabe se você *quer* ser capaz de ver o fruto do Espírito em você. Por isso, diga a Deus que você quer que o fruto do Espírito cresça em você de tal maneira que se revele para os outros. Deus ama essa oração. Ele sempre lhe responde. É assim que você pode se tornar uma pessoa bondosa: convidando o Espírito de Deus para crescer em você.

O fruto do Espírito é o que Deus planta em seu coração quando você aceita Jesus pela primeira vez e se torna filha dele. Seu Pai celestial planta essas sementes de seu Espírito dentro do coração e o Espírito Santo as faz crescer. Isso acontece cada vez mais à medida que você aprende a falar com Deus, lê sua Palavra, que é a carta de amor que ele escreveu para você, e vive de acordo com os caminhos dele. Peça a Deus que desenvolva esses frutos em você. Isso não é algo que você precisa se *forçar* a *fazer*. É algo que se desenvolve em seu interior quando você caminha com Deus todos os dias e o Espírito dele habita em seu interior.

## O que outras meninas dizem?

**Algumas maneiras pelas quais as meninas demonstram bondade aos outros:**

"Penso em algo de que determinada pessoa gosta."

"Sempre tento animar os outros."

"Peço a Deus que me ajude a sempre perdoar."

"Peço a Deus que me mostre o que faz a pessoa feliz."

"Pergunto à pessoa se posso fazer algo por ela."

"Peço a Deus que me diga a dificuldade pela qual a pessoa está passando."

"Tento fazer pequenas coisas que a pessoa aprecia."

Quem são suas duas ou três amigas mais próximas? De que você mais gosta em cada uma delas?

_______________________________________________

_______________________________________________

Faça uma lista dos cinco membros mais próximos de sua família. Anote uma maneira de estender bondade a cada um.

1. _______________________________________________
2. _______________________________________________
3. _______________________________________________
4. _______________________________________________
5. _______________________________________________

Como você gostaria que os outros demonstrassem bondade a você?

sempre bondoso.

## O que outras meninas dizem?

**Algumas coisas de que as meninas não gostam em uma amiga:**

"Não gosto de uma amiga que mude o tempo inteiro."

"Não gosto quando uma amiga me abandona bem quando estou passando por um momento difícil."

"Não gosto de nunca saber se uma amiga será gentil ou maldosa comigo."

"Não gosto de nunca saber se minha amiga estará feliz ou triste."

"Não gosto de ter uma amiga que fica brava com frequência ou não se importa se magoou meus sentimentos."

"Não gosto quando uma amiga não obedece às regras e quer me forçar a desobedecer também."

Deus plantará as sementes da bondade em você, e você pode plantar essas mesmas sementes em seus relacionamentos com os outros. É incrível como você poderá enxergar rapidamente as sementes da bondade semeadas em seu relacionamento crescerem até se tornar algo maior. O segredo é conversar com Deus sobre cada familiar e cada amiga por quem você deseja fazer algo de bom. Diga: "Que gesto de bondade eu posso fazer por essa pessoa?". Você não terá tempo de fazer isso para todos a cada dia. Escolha uma pessoa de cada vez e veja o que Deus lhe mostrará acerca do que abençoaria a vida dela.

## Lembre-se

Cada ato de bondade e amor que você estende a outra pessoa mostra a ela o amor e a bondade de Deus. Dessa forma, você é mensageira de Deus para os outros, pois eles experimentam o que vai no coração de Deus por seu intermédio.

Lembro-me de quando me mudei para uma nova cidade, em outro estado. Tudo parecia tão diferente que eu me sentia completamente deslocada. As pessoas não eram maldosas comigo, mas estava tão óbvio que eu não era exatamente como elas que eu acabava sendo ignorada. Havia, porém, uma menina que eu via com frequência, pois precisava ir ao local onde ela trabalhava comprar algumas coisas. Ela era sempre tão simpática comigo que eu queria lhe fazer um gesto de bondade, como forma de dizer: "Aprecio o que você faz e estou aqui para ajudá-la de qualquer maneira que você precisar". Pedi a Deus que me mostrasse como abençoá-la, pois eu não sabia muita coisa sobre ela. E ele me mostrou algo de que ela precisava. Quando lhe dei, ela ficou tão grata que a reação me surpreendeu. Eu jamais teria pensado nisso, se Deus não tivesse me revelado. Isso aconteceu há muitos anos, e ela se tornou uma de minhas melhores amigas. Foi uma semente de bondade que Deus plantou em meu coração e que cresceu até se transformar em um dos melhores relacionamentos em minha vida.

Talvez exista alguém tão difícil em sua vida que a última coisa que você deseja é ser bondosa com essa pessoa. Aliás, talvez você só queira evitá-la. Às vezes, porém, isso não é possível, pois as circunstâncias colocam vocês juntos mais do que gostaria. Nesse caso, descobri que a melhor maneira de lidar com o temido momento de estar perto de uma pessoa incômoda é fazer *um gesto de bondade* para ela. Pode ser algo simples.

Se você não a conhecer muito bem, cumprimente com um sorriso, diga "oi", pense em algo que você admira nela e a elogie. Sei que pode ser difícil fazer isso, mas peça a Deus que lhe mostre algo bom em relação a essa pessoa. É o cabelo? As unhas? As roupas? A habilidade de fazer algo? A forma como ela ajuda as pessoas? Como trabalha? O que quer que seja, quando você for bondosa com ela, poderá vê-la mudar e se tornar mais gentil. Pergunte como ela está e, se a resposta for: "Péssima!", pergunte se gostaria que você orasse por ela em relação a alguma questão específica. A maioria das pessoas aceita receber oração, mesmo que não tenha entregado o coração a Jesus. E sua oração fará a diferença na vida dela. Não importa se a resposta for sim ou não, diga que você se lembrará de orar por ela quando estiver em casa.

Há uma advertência que preciso voltar a lhe fazer: existem pessoas más no mundo. Você é uma bela garota e é gentil com as pessoas. Por isso, algumas pessoas podem não resistir a você. É preciso ter discernimento em relação a isso. Peça a Deus que lhe mostre em quem você não deve confiar com sua bondade. Para uma pessoa problemática, a bondade pode parecer um convite para entrar em sua vida, como se você estivesse tentando chamar atenção. Não dá para fazer atos de bondade para uma pessoa maldosa com más intenções, pois não se trata de alguém de confiança. Isso continuará a ser verdade pelo resto de sua vida como jovem que pertence a Deus. Por isso, peça a ele que lhe *dê discernimento* em relação a essas coisas. É extremamente importante.

Quando você quiser realizar um gesto simples de bondade a uma amiga ou familiar, peça a Deus que lhe mostre o que você pode *fazer* ou *dar* para que essa pessoa fique feliz. Você pode se surpreender com o quanto um gesto simples consegue agradar alguém. Não há muitas pessoas no mundo que separam tempo ou se esforçam para isso. Talvez não sintam que têm algo a oferecer de que o outro gostaria. Mas *você* tem o *amor* de *Deus em você.* E todos apreciariam algum sinal do amor divino oferecido por seu intermédio.

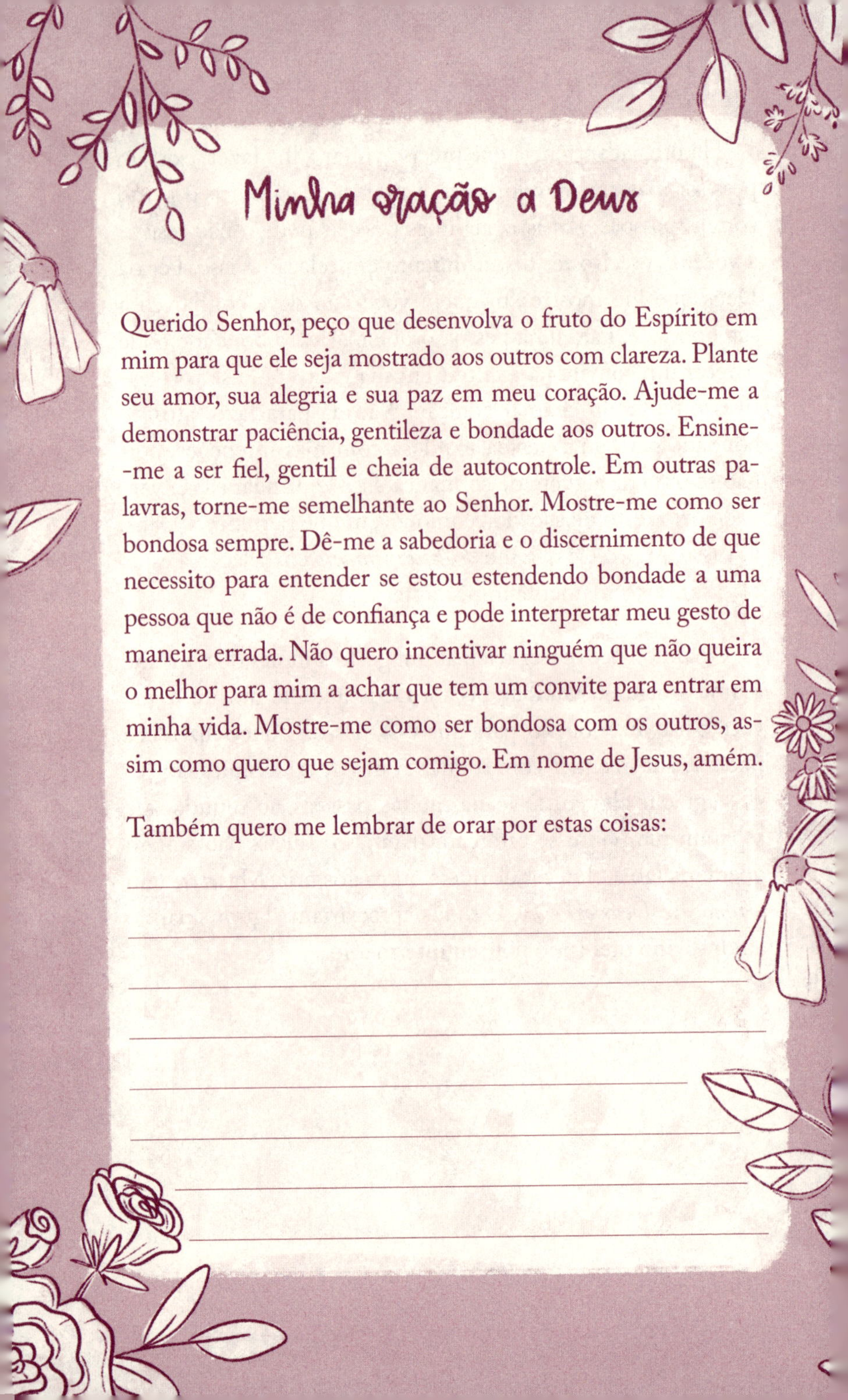

# Minha oração a Deus

Querido Senhor, peço que desenvolva o fruto do Espírito em mim para que ele seja mostrado aos outros com clareza. Plante seu amor, sua alegria e sua paz em meu coração. Ajude-me a demonstrar paciência, gentileza e bondade aos outros. Ensine-me a ser fiel, gentil e cheia de autocontrole. Em outras palavras, torne-me semelhante ao Senhor. Mostre-me como ser bondosa sempre. Dê-me a sabedoria e o discernimento de que necessito para entender se estou estendendo bondade a uma pessoa que não é de confiança e pode interpretar meu gesto de maneira errada. Não quero incentivar ninguém que não queira o melhor para mim a achar que tem um convite para entrar em minha vida. Mostre-me como ser bondosa com os outros, assim como quero que sejam comigo. Em nome de Jesus, amém.

Também quero me lembrar de orar por estas coisas:

_______________________________________________

_______________________________________________

_______________________________________________

_______________________________________________

_______________________________________________

_______________________________________________

_______________________________________________

_______________________________________________

# 11

# Posso ser feliz quando não me sinto bem?

A resposta para esta pergunta — "Posso ser feliz quando não me sinto bem?" — é *sim*! O motivo para isso é que, muito embora seus sentimentos possam mudar em um instante e as circunstâncias de sua vida se alterar de uma hora para outra também, a boa notícia é que *Deus nunca muda.* Ele disse em sua Palavra: "Eu sou o SENHOR e não mudo" (Malaquias 3.6). E Jesus também é sempre o mesmo, o que significa que ele nunca para de amar você.

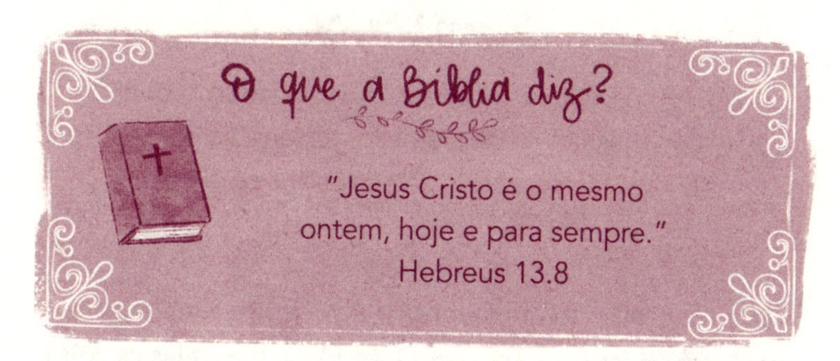


Isso significa que tudo que você sabe sobre Deus jamais irá mudar. Pode confiar nele. Deus não deixará de amá-la se você fizer algo errado. Seu amor é *incondicional.* Isso significa que ele *sempre ama* você. E quer o melhor para você. Ele sabe que, quando você vive segundo os caminhos *dele*, isto é, os caminhos que ele nos orienta seguir em sua Palavra, nossa vida sempre será melhor. Lembre-se: as leis e regras divinas são para *seu* benefício. O mesmo se aplica a sua mãe, seu pai ou quem cuida de você. Essas pessoas querem que você tenha uma boa vida. Querem que você seja saudável e não doente, que permaneça em segurança e não corra riscos, que fique protegida e não em perigo de se machucar. É exatamente isso que Deus quer para você também.

Deus sempre *ouve* e *responde* às suas orações. *Ele* decide como responderá às suas orações e quando. E pode decidir que a resposta será "ainda não" ou "não". Quando isso acontecer, você precisa se lembrar de que somente *Deus* sabe todas as coisas. Ninguém mais sabe. E pode confiar que ele só deseja o melhor para você.

## Lembre-se

Busque a Deus e louve-o, mesmo quando as coisas dão errado, porque os olhos dele sempre estão voltados para você.

*A melhor maneira de começar a ficar feliz quando você não se sente feliz é conversando com Deus.* Diga-lhe todas as coisas que você ama nele. Agradeça-lhe todas as coisas boas que ele fez por você. Deus ama ouvir suas palavras de apreço a ele. Isso se chama *louvor*. Você pode louvá-lo por tudo que ele fez por você. *Adoração* é quando agradecemos a Deus por *quem* ele é. Adoramos a Deus porque ele é o *Rei dos reis* e nosso *Pai celestial.* Nós o adoramos porque ele é maior do que qualquer coisa que encontramos na vida.

Deus é o Rei do universo e, ainda assim, se importa com as mesmas coisas com as quais você se importa. Ele quer que você receba, em seu coração, toda a alegria, toda a paz e todo o amor que ele tem reservado para sua vida. Você pode ser feliz por essas coisas todos os dias, independentemente do que aconteça.

Quando você agradece a Deus por amar você e por tudo que lhe concedeu, ele derramará mais de si mesmo sobre você: mais de seu amor, poder, paz, provisão, proteção e bênçãos, só para citar algumas coisas.

## Lembre-se

Toda vez que você se sentir triste, agradeça a Deus tudo que você conseguir lembrar que ama nele. Louve-o por tudo que já fez por você. Adore-o por quem ele é. Sempre que você fizer isso, ele derramará em você seu amor, sua paz e sua alegria, e você se sentirá feliz por conhecê-lo.

## O que outras meninas dizem?

**Coisas pelas quais algumas meninas gostam de agradecer a Deus:**

"Minha mãe e meu pai."

"Minha família."

"Meus amigos."

"Meus animais de estimação."

"O alimento que eu como."

"Meu lar."

"O amor e a proteção de Deus."

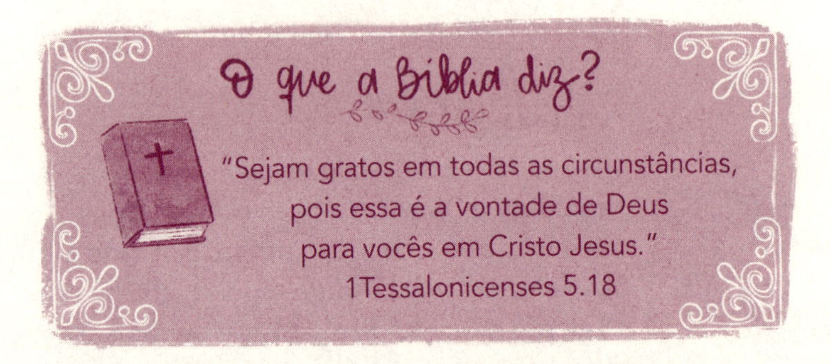


Isso significa que toda vez que você agradece ou louva a Deus, está fazendo a vontade dele. Por isso, quando não se sentir feliz, agradeça e louve a Deus por tudo em que conseguir pensar, independentemente de como sua vida esteja no momento. Toda vez que você lhe agradecer ou louvá-lo, estará fazendo o que mais agrada a Deus.

Pense em dez coisas pelas quais você deseja agradecer, louvar ou adorar a Deus:

1. ______________________________

2. ______________________________

3. ______________________________

4. ______________________________

5. ______________________________

6. ______________________________

7. ______________________________

8. ______________________________

9. ______________________________

10. ______________________________

## Lembre-se

O amor e a bondade de Deus nunca mudam, e esse é sempre um motivo para louvá-lo, mesmo que a vida pareça triste ou ruim.

Toda vez que você proferir palavras de gratidão a Deus e louvá-lo pelo Deus amoroso e maravilhoso que ele é, sua presença se fará sentir de maneira mais poderosa. E a presença divina sempre muda você e como você se sente. É por isso que, na presença dele, as coisas mudam. Até mesmo suas circunstâncias podem mudar.

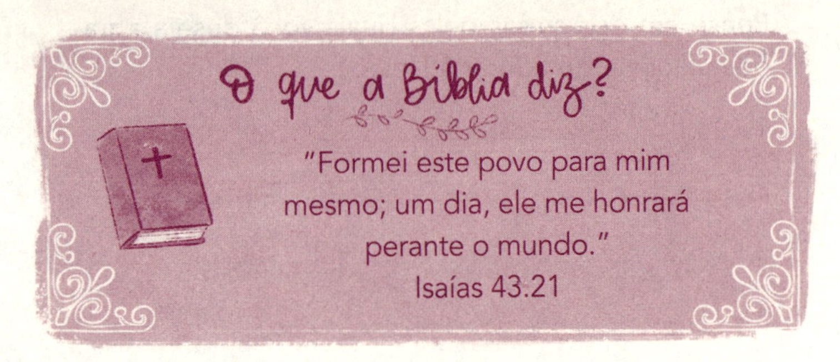


Isso significa que Deus criou você para honrá-lo e louvá-lo. Você foi criada para adorar a Deus, e esse é seu propósito mais elevado. Também é verdade que você deve honrá-lo e louvá-lo não importa o que esteja acontecendo em sua vida: não só nos bons momentos, mas nos maus também.

Se você se lembrar de que Deus *sempre* é digno de gratidão, louvor e adoração, e que sempre é maior do que qualquer coisa que você enfrentar ou que esteja acontecendo em sua vida, pode viver com a sensação de felicidade em seu interior.

*Se você está se sentindo infeliz, pergunte a Deus se você tem um bom motivo para se sentir assim.* Caso esteja infeliz porque aconteceu alguma coisa com seu animal de estimação, uma amiga próxima se mudou ou um membro da família morreu, trata-se de uma razão compreensível para se sentir infeliz. Peça a Deus que a conforte. No entanto, caso você se sinta infeliz porque é dura consigo mesma e se critica por achar que não é boa o suficiente, isso não alegra a Deus. Tais palavras em sua mente não são conselhos da parte do Senhor. Elas vêm do inimigo, que surge para nos perturbar só porque pertencemos a Deus. Não permita que o inimigo fale mentiras que desanimem você. Pare e agradeça a Deus por *você* e por *tudo* que é capaz de *fazer. Ame*-se, *respeite*-se, *pare de se criticar* e *agradeça* a Deus por quem *você é.*

*Não se compare com ninguém. Você* é *você*, e isso é *sempre bom.* Concentre-se apenas em ser a *melhor versão possível de si mesma.* Você não está competindo com ninguém, a menos que escolha competir em determinado ambiente, como em um esporte, um concurso musical ou algum outro evento dessa natureza. E esse tipo de competição se baseia na habilidade da pessoa, não em um juízo sobre quem você é e sobre seu valor como indivíduo. E você nem é obrigada a participar de competições, a menos que queira. Não olhe para outras garotas, sejam elas amigas, colegas de sala ou parentes, usando-as como medida de comparação.

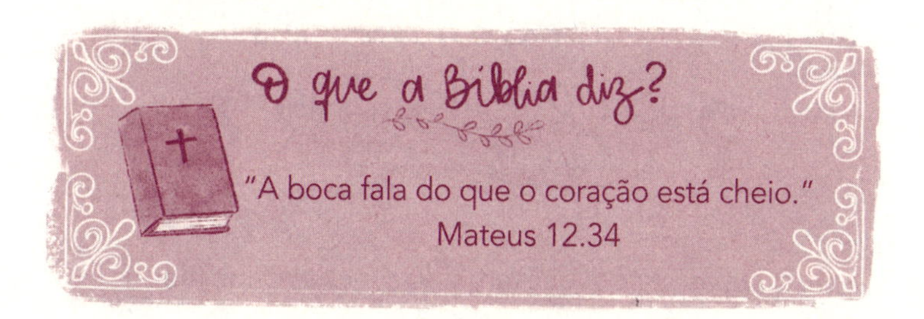


Isso significa que seus pensamentos e suas palavras refletem o que se passa em seu coração. Se você tem proferido críticas contra si mesma, mesmo que seja só para você ouvir, isso não reflete os bons pensamentos e sentimentos sobre quem Deus a criou para ser. Nesse caso, quer dizer que o inimigo de sua alma, um sujeito nada legal, está tentando enchê-la de pensamentos negativos a seu próprio respeito. Não dê ouvidos a essas mentiras. Peça a Deus que a resgate e conduza seu coração rumo a seu Pai celestial. Lembre-se: você é uma princesa de Deus. Você é especial e lindamente criada por Deus.

O que outras meninas dizem?

**Críticas de algumas meninas em relação a si mesmas:**

"Não gosto da minha aparência."
"Não gosto das roupas que eu visto."
"Não tenho muitas habilidades."
"Não me sinto aceita pelos outros."
"Tenho dificuldades nos estudos."
"Tenho dificuldade de concentração."
"Não faço nada direito."

Em quais aspectos você tem sido crítica consigo mesma?

______________________________________________

______________________________________________

______________________________________________

Escreva uma oração a Deus contando a ele do que você não gosta em si mesma. Peça-lhe que a ajude a resistir a esses pensamentos negativos. Agradeça porque ele a criou bela, talentosa, aceita, amada e inteligente. E também por ter um propósito elevado.

______________________________________________

______________________________________________

______________________________________________

______________________________________________

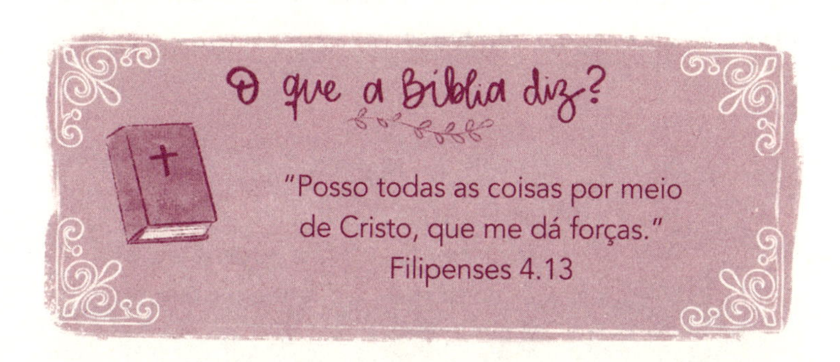


Isso significa que, quando você se sente fraca ou insuficiente, como se não conseguisse *ser* ou *fazer* o bastante, pode agradecer a Deus porque ele é mais que suficiente e pode capacitá-la a fazer todas as coisas que são a vontade dele para você. A maneira de lidar com esse versículo é se lembrar dele. Memorizá-lo. E dizer com frequência para Deus: "Obrigada porque eu posso todas as coisas por meio de Cristo, que me dá forças".

*A Bíblia diz que você pode levar cativos seus pensamentos.* Você pode se recusar a dar ouvidos a mentiras ou pensamentos danosos. Caso seus pensamentos a estejam deixando triste, com medo, com raiva, infeliz ou provoquem qualquer outra sensação negativa, diga em voz alta: "Senhor, ajude-me a levar cativo todo pensamento sob o *meu* controle, e sob o *seu* controle, a fim de que eu possa lhe obedecer sempre" (2Coríntios 10.5).

Essa é uma grande questão para todas as meninas. O inimigo, que também é inimigo de Deus, tentará enganar você com coisas que não glorificam a Deus. Começará com pensamentos negativos a seu respeito. Esse é o primeiro passo para fazê-la querer ser como o mundo no modo de se vestir e agir, por achar que, dessa forma, será mais aceita. Mas você já é aceita por Deus, e ele já deu tudo a fim de torná-la sua filha para sempre. Uma vez que você é dele, Deus lhe dará tudo de que você necessita quando buscá-lo.

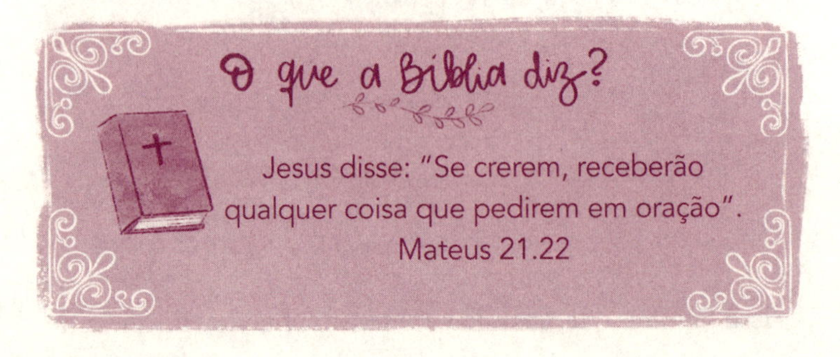


Peça a Deus que a ajude a levar cativos seus pensamentos. Recuse-se a nutrir pensamentos que a fazem se sentir mal consigo mesma. Deus a ama demais e quer que *você se ame* também. Ame quem Deus a criou para ser. Ame as coisas que você *sabe* fazer e não seja dura demais consigo mesma se ainda estiver aprendendo. Permita que Deus a ensine nos caminhos e no tempo dele. Ele tem alegria e felicidade reservadas para você todos os dias, independentemente do que esteja acontecendo em sua vida.

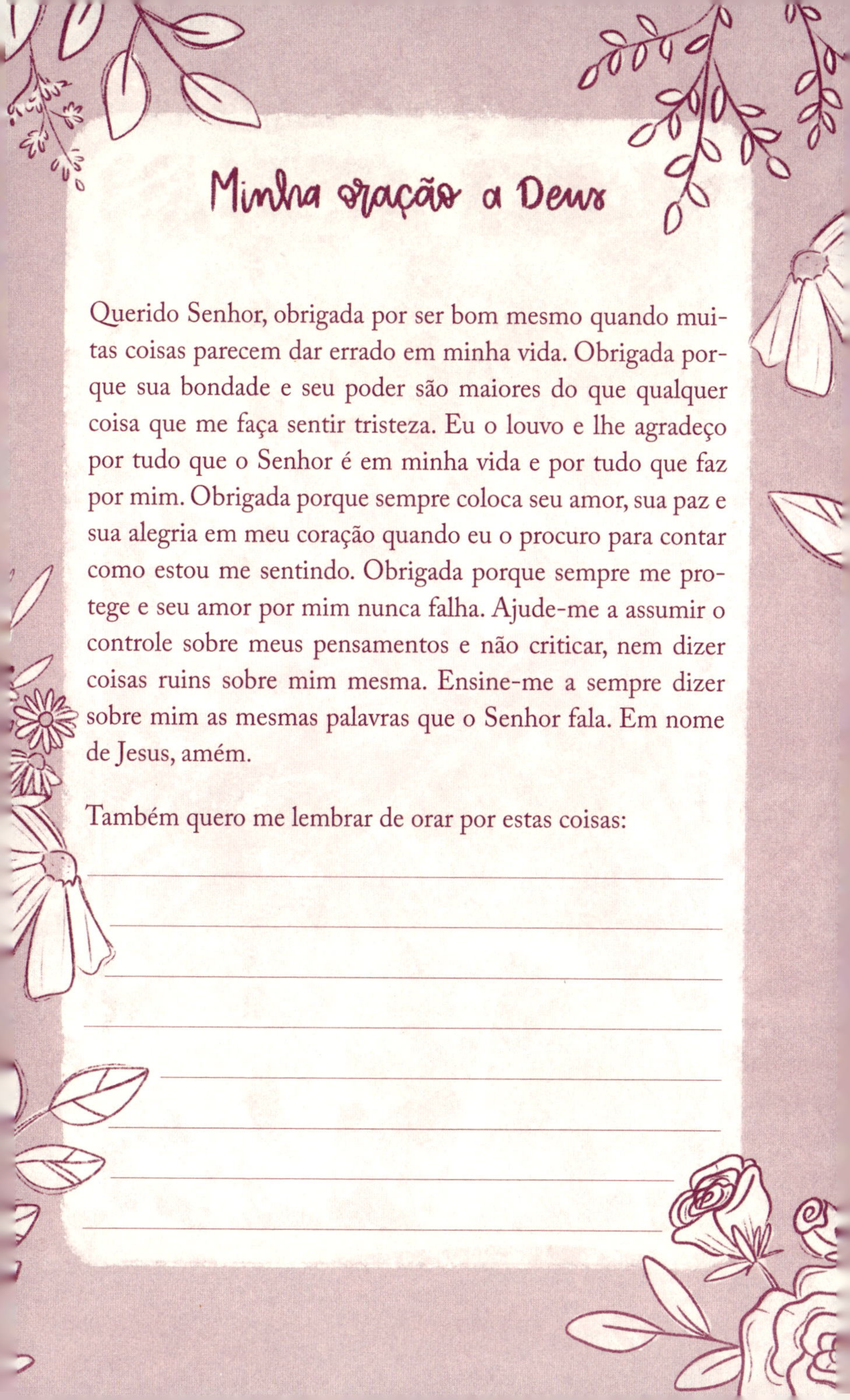

# Minha oração a Deus

Querido Senhor, obrigada por ser bom mesmo quando muitas coisas parecem dar errado em minha vida. Obrigada porque sua bondade e seu poder são maiores do que qualquer coisa que me faça sentir tristeza. Eu o louvo e lhe agradeço por tudo que o Senhor é em minha vida e por tudo que faz por mim. Obrigada porque sempre coloca seu amor, sua paz e sua alegria em meu coração quando eu o procuro para contar como estou me sentindo. Obrigada porque sempre me protege e seu amor por mim nunca falha. Ajude-me a assumir o controle sobre meus pensamentos e não criticar, nem dizer coisas ruins sobre mim mesma. Ensine-me a sempre dizer sobre mim as mesmas palavras que o Senhor fala. Em nome de Jesus, amém.

Também quero me lembrar de orar por estas coisas:

# 12

## O que acontece quando leio a Bíblia?

Você gostaria de ler um livro capaz de mudá-la para melhor toda vez que você o lê, mesmo que apenas algumas páginas? Trata-se de um livro que pode influenciar positivamente como você se sente e as coisas que faz. E como o Espírito Santo de Deus *ditou* esse *livro* para fiéis escolhidos, confiáveis e cheios de fé ao longo de séculos, seu Espírito está *dentro* dele. Isso significa que, ao lê-lo, o Espírito de Deus fala a seu espírito e as palavras ganham vida em seu coração. A Bíblia, a Palavra de Deus, é o único livro capaz de fazer isso por você.

Não fique paralisada diante do número de páginas. Você não precisa ler a Bíblia inteira de uma vez. Pode pegar apenas um capítulo e ler. Ou encontrar um versículo que fala especialmente a *você* e memorizá-lo expressando-o com frequência. A Bíblia a guiará, para que você não saia do caminho que Deus escolheu para você.

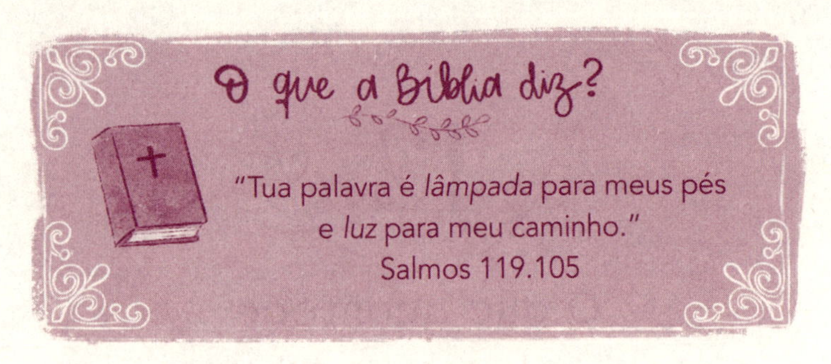


Isso significa que a Palavra de Deus sempre ajudará você a ver aonde está indo. Você não sentirá que está andando no escuro. Também saberá a diferença entre o bem e o mal. Pessoas más podem se disfarçar de boazinhas. Mas Deus lhe dá a luz dele, para que você consiga ver quando algo está errado ou não é bom em uma pessoa ou uma situação. Deus lhe mostra *como* e *onde* andar porque ilumina seu caminho com a Palavra dele em seu coração.

Isso também significa que, às vezes, quando você sente que não consegue enxergar com clareza, Deus lhe mostrará que decisão tomar, o que fazer ou que caminho trilhar. As coisas se tornarão mais claras à medida que você ler a Palavra de Deus, pois o Espírito dele falará a seu espírito. Talvez você nem esteja lendo especificamente sobre o que deseja saber, mas Deus *falará* a seu *coração.* Você sentirá que conhece melhor a Deus, e isso sempre é bom.

Há outros motivos para ler a Bíblia, a Palavra de Deus:

*Quando você lê a Palavra de Deus, é guiada rumo ao futuro que Deus reservou para você.* A Bíblia diz: "Firma meus passos conforme a tua palavra" (Salmos 119.133). Isso significa que, quando você lê a Bíblia, ela a ajuda a permanecer no caminho certo, rumo ao futuro grandioso que Deus tem para você.

E você só chegará lá se permitir que ele a guie. Toda vez que você lê a Palavra de Deus, torna-se mais capacitada a ouvi-lo falar a seu coração, e isso a ajuda a permanecer no caminho que ele designou para você.

*Quando você lê a Palavra de Deus, cresce em sabedoria.* A Bíblia diz: "A lei do SENHOR é perfeita e revigora a alma. Os decretos do SENHOR são dignos de confiança e dão sabedoria aos ingênuos" (Salmos 19.7). Isso significa que a Palavra de Deus é tão *perfeita* que consegue *mudar* sua *mente* se você estiver indo na direção errada. É tão *digna de confiança* que é capaz de torná-la uma *pessoa sábia.* Toda vez que você lê a Palavra de Deus, *cresce a sabedoria* em você. Então você terá tanto *discernimento* que até se surpreenderá.

*Quando você lê a Bíblia, aprende como obedecer a Deus.* A Bíblia diz: "Dá-me entendimento e obedecerei à tua lei" (Salmos 119.34). Se você não *entender* quais são as leis de Deus, não poderá *obedecer a essas leis.* A Bíblia *diz* quais são as *leis* divinas, e Deus ajuda você a obedecer.

*Quando você lê a Palavra de Deus, tem mais facilidade de perdoar os outros mais rápido.* A Bíblia diz: "Seu Pai celestial os perdoará se perdoarem aqueles que pecam contra vocês" (Mateus 6.14). Às vezes, pode ser muito difícil perdoar alguém, mas quando você lê quantas vezes o perdão é mencionado na Bíblia e o quanto Jesus perdoava os outros, seu coração se abranda para perdoar as pessoas, a fim de que Deus também a perdoe depressa.

*Quando você lê a Palavra de Deus, tem mais segurança.* A Bíblia diz: "Os que *amam tua lei* estão totalmente seguros e não tropeçam" (Salmos 119.165). Você terá menor tendência de fazer coisas que causam tropeço se tiver a Palavra de Deus em seu coração todos os dias.

*Quando você lê a Palavra de Deus, sua fé se fortalece.* A Bíblia diz: "A fé vem por *ouvir*, isto é, por *ouvir* as *boas-novas* a respeito de *Cristo*" (Romanos 10.17). Isso significa que não dá para crescer na fé sem ler e ouvir a Palavra de Deus. Quando você lê a Bíblia, ou a ouve ser lida, sua *fé aumenta.*

sempre quer falar ao seu coração
com base em sua Palavra, a Bíblia.

O que outras meninas dizem?

**Por que algumas meninas amam ler a Palavra de Deus:**

"Quero saber o que é certo e o que é errado."
"Quero que minha mente pense com mais clareza."
"Quero ser uma pessoa melhor."
"Quero tomar boas decisões."
"Quero fazer o que é certo."
"Quero ter mais fé."
"Quero conhecer melhor a Deus."

Como você se sente quando lê a Palavra de Deus? O que acontece em seu coração quando você a lê ou fala em voz alta?

______________________________________________

______________________________________________

______________________________________________

Que versículo da Bíblia você ama e gostaria de decorar? Se não conseguir se lembrar de algum, escolha um dos versículos em qualquer capítulo deste livro na seção "O que a Bíblia diz". Ou você pode escolher um dos versículos abaixo para se lembrar. Seja qual for o versículo escolhido, escreva-o abaixo. Então anote também em outro pedaço de papel para deixar em um lugar onde você possa lê-lo e expressá-lo todos os dias. Quanto mais você repetir o versículo, mais forte ele se tornará em sua mente e em seu coração.

______________________________________________

______________________________________________

______________________________________________

Aqui estão três versículos que você fará bem em lembrar sempre:

1. "Se *crerem, receberão* qualquer coisa que *pedirem* em *oração*" (Mateus 21.22).

2. "Deus *não nos deu* um *Espírito* que produz *temor* e covardia, mas sim que nos dá *poder*, *amor* e *autocontrole*" (2Timóteo 1.7).
3. "Não o deixarei; jamais o abandonarei" (Hebreus 13.5).

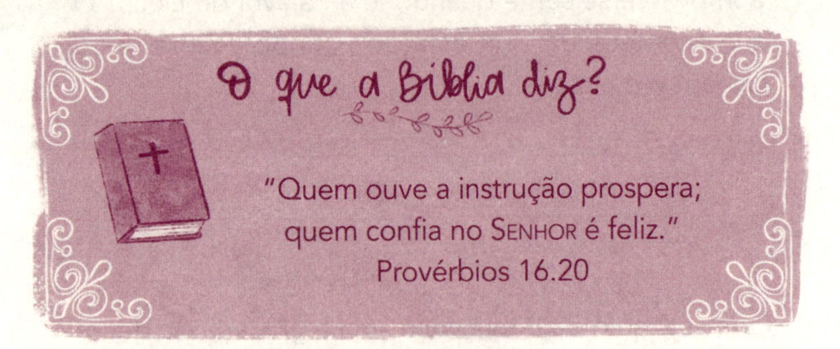


Isso significa que, quando você tem fé em Deus e em sua Palavra, será muito mais feliz e experimentará coisas boas.

Você sabia que, quanto mais ouvir Deus falar a seu coração na Palavra, mais o ouvirá falando a seu coração até mesmo quando não estiver lendo a Palavra no momento? Isso acontece porque você está aprendendo a reconhecer melhor a voz de Deus falando a seu coração toda vez que lê a Palavra. E isso é maravilhoso. Como você está *no mundo*, será capaz de *reconhecer* uma voz *falsa*. Quando alguém que é mau *finge* ser temente a Deus, essa pessoa é uma farsa.

O dinheiro falsificado é impresso em papel-moeda feito por alguém a fim de parecer dinheiro de verdade. Na verdade, porém, não tem valor algum, já que é falso. Uma voz falsa em seu coração pode vir do inimigo, que finge ser Deus. A voz do inimigo sempre é falsificada. Quando você lê a Bíblia com frequência, aprende a ouvir a voz de Deus tão bem que se torna capaz de identificar a voz falsa do inimigo. Se você já ouviu as seguintes palavras em sua mente: "Você não é bonita", "Você não é inteligente", "Sua vida não tem nenhum propósito" ou "Ninguém gosta de você", você acharia que elas vêm de *Deus* ou do inimigo de sua alma? Deixe-me dar uma dica: essas palavras *nunca vêm de Deus.*

A Bíblia ajuda você a aprender sobre Deus, o que ele fez e o que promete fazer. Também conta o que ele quer fazer *em você.* Explica o quanto *Deus a ama.* Revela como você deve pensar, viver e orar de maneira agradável a Deus. E isso faz você feliz! É por isso que a Bíblia sempre será importante para você.

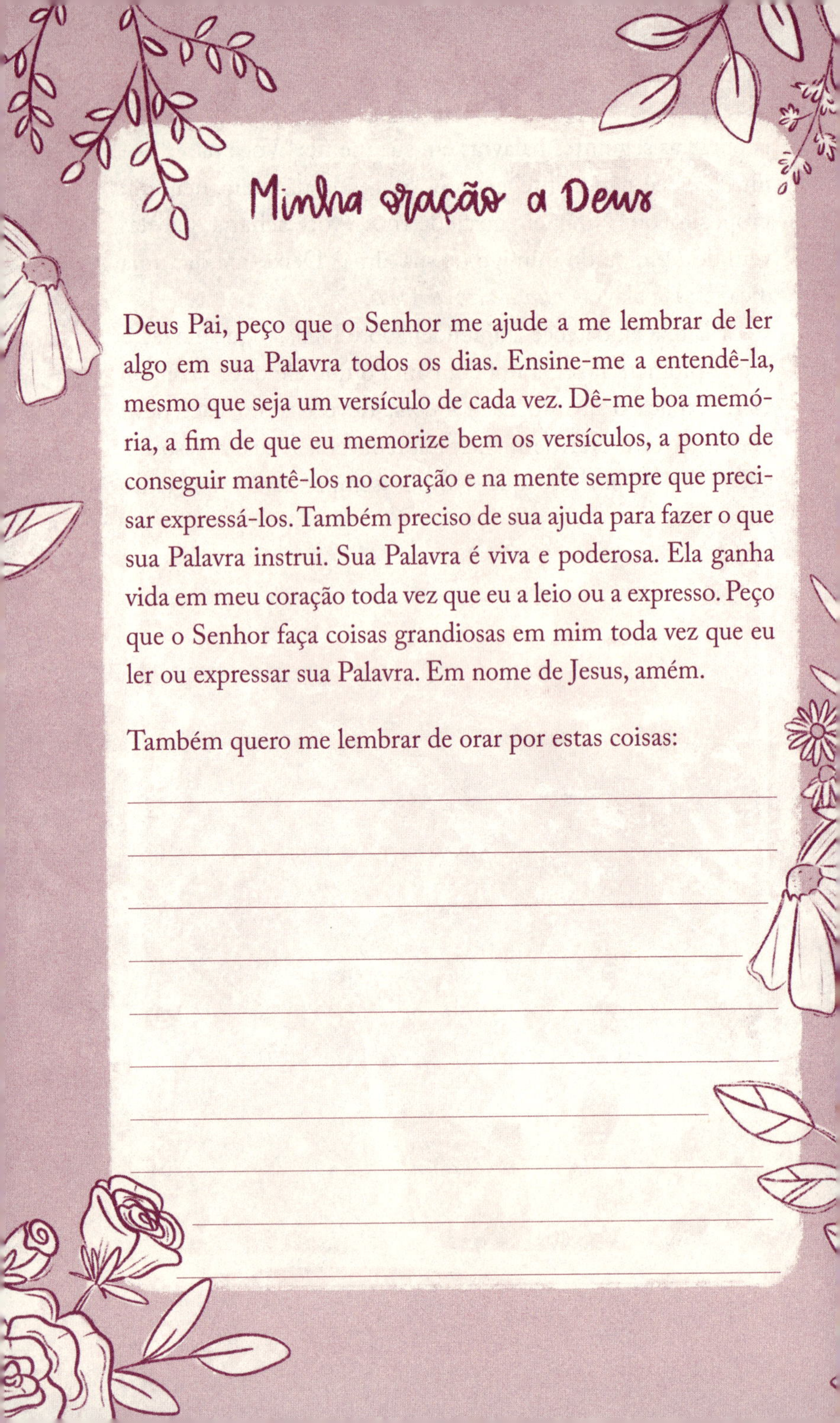

# Minha oração a Deus

Deus Pai, peço que o Senhor me ajude a me lembrar de ler algo em sua Palavra todos os dias. Ensine-me a entendê-la, mesmo que seja um versículo de cada vez. Dê-me boa memória, a fim de que eu memorize bem os versículos, a ponto de conseguir mantê-los no coração e na mente sempre que precisar expressá-los. Também preciso de sua ajuda para fazer o que sua Palavra instrui. Sua Palavra é viva e poderosa. Ela ganha vida em meu coração toda vez que eu a leio ou a expresso. Peço que o Senhor faça coisas grandiosas em mim toda vez que eu ler ou expressar sua Palavra. Em nome de Jesus, amém.

Também quero me lembrar de orar por estas coisas:

______________________________

______________________________

______________________________

______________________________

______________________________

______________________________

______________________________

______________________________

______________________________

______________________________

# 13

## Posso mesmo fazer a diferença quando oro?

Quero incentivar você a nunca se esquecer de que Deus ama as crianças. Quando os discípulos perguntaram a Jesus quem era o maior no reino de Deus, ele respondeu: "A menos que vocês se convertam e se tornem como crianças, jamais entrarão no reino dos céus" (Mateus 18.3). Não é uma notícia maravilhosa? Eu amo isso! E você? Significa que você é muito importante para Deus. Você é especial. É por isso que ele ouve suas orações. E ele *quer* que você *fale* com *ele todos os dias.*

Quando você compreender o quanto Deus se importa com *você* e o quanto deseja *ouvir você*, será *inspirada* a querer *falar* com *ele* com frequência. E você sempre tem algo que quer falar com Deus ou lhe perguntar. Mesmo que ele saiba do que você precisa, ainda assim quer ouvir de você.

Quanto mais você se aproximar de seu Deus Pai em oração, *maior* sua *fé* se tornará, mais *poderosas* serão suas *orações* e *mais respostas* a suas orações você verá. Lembre-se de que orar não é mandar em Deus, dizendo o que ele deve fazer. Ele já sabe o que fazer. Mas quer ouvir de *você* aquilo que *você espera* em seu *coração* que ele faça. Suas orações são importantes para ele, e mesmo que você não veja imediatamente os resultados, pode confiar que elas fazem muita diferença.

*O que outras meninas dizem?*

**O que algumas meninas sentem a respeito da oração:**

"Às vezes é muito difícil."

"É legal porque posso conversar com Deus."

"É aprender a confiar que Deus está escutando."

"É difícil quando não tenho certeza de como orar em relação a algo."

"Eu me sinto consolada quando conto para Deus que alguém me magoou."

"É saber que preciso esperar que as respostas venham."

"É desafiador quando a resposta não é a que eu esperava."

## *Lembre-se*

Suas orações sempre fazem a diferença.

Algumas coisas importantes a se lembrar a respeito da oração:

*Quando você ora, é como jogar uma pedrinha em um grande reservatório de água parada*, como uma lagoa ou um lago.

Quando a pedra entra na água, você consegue ver ondulações reverberando em todas as direções. Talvez você não veja *todas* as ondulações, nem saiba onde elas irão acabar, mas percebe que algo está mudando.

Quando você ora, não vê todos os efeitos de suas orações na vida das pessoas e nas situações pelas quais está pedindo, e nem mesmo em sua própria vida. Mas acontecem coisas que você, às vezes, só verá quando olhar para o passado e recordar.

*Quando você ora, é como o que acontece em um jogo de futebol*, quando o goleiro toca a bola para alguém do próprio time, que por sua vez vai carregando a bola adiante e passando-a para seus companheiros. Todos que pegam a bola têm a esperança de conduzi-la até a linha do gol. Mas se *alguém* do *time adversário* conseguir alcançar a bola e tomá-la do jogador do outro time, ele agora a conduzirá para o *outro lado*, a fim de marcar um gol para *seu próprio time.*

Quando você ora, pode ver uma situação ou pessoa que talvez esteja se encaminhando para uma direção que não é boa. Mas você é capaz de alcançá-la com suas orações e interceptar o que está indo em uma direção, fazendo mudar de rumo. Mesmo que você não *veja* o que está acontecendo enquanto ora, pode confiar que *algo poderoso* está, sim, *ocorrendo.*

Quando você ora, sempre faz a diferença, mesmo que não enxergue isso no momento. E não precisa se preocupar de orar pela coisa errada. Deus jamais responde a sua oração de maneira errada. Ele nunca erra.

## Lembre-se

Suas orações têm poder porque,
mesmo quando você se sente incapaz,
Deus é sempre mais poderoso do que
qualquer preocupação que você tenha.

Quero dividir com você algo importante que você precisa saber se quiser sempre fazer a diferença ao orar. É o seguinte: seu *louvor* e sua *gratidão* a Deus são *poderosos*. A razão para isso, diz a Bíblia, é que *Deus habita* nas *orações* de seu *povo*.

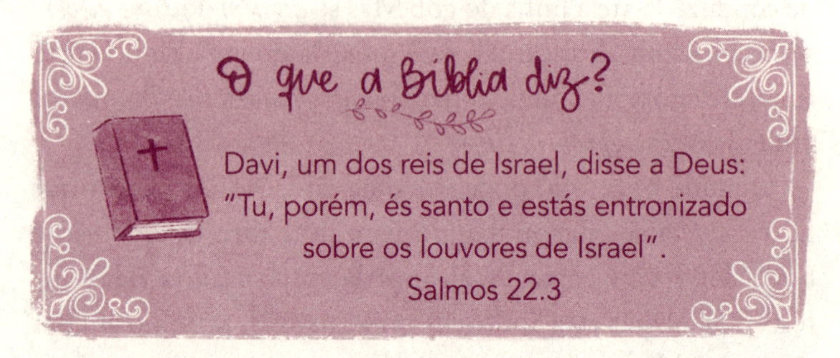


Isso significa que o Espírito de Deus ganha vida em nosso louvor toda vez que o adoramos. É o mais perto que chegaremos de Deus neste mundo. Quando chegar nossa hora de partir e estar com o Senhor no céu, continuaremos a louvá-lo e adorá-lo. Mas então nós estaremos *com ele* e será algo que desejaremos fazer para sempre. Não precisaremos ser lembrados de adorá-lo.

Nossa adoração a Deus é a chave para estarmos próximos dele, pois a adoração convida sua presença a se manter próxima de nós. Sim, Deus está em todo lugar, mas o *poder* de sua *presença conosco* é *sentida* quando nós o *adoramos*. Toda vez que você adora e louva a Deus, sua presença vem habitar com mais proximidade e poder em sua vida. E Deus não o visita somente nos momentos em que você o louva. Ele caminha mais perto de você em seu relacionamento com ele.

Se você já sentiu medo ou preocupação em relação a alguma coisa, ou está com o coração magoado por causa de algo que alguém disse ou fez, pare tudo que estiver fazendo e *agradeça a Deus* por alguma coisa de que conseguir se lembrar. *Louve-o* por aquilo que ele fez por você no passado. *Adore-o* por quem ele é.

amor perfeito.

A melhor coisa que você pode fazer toda vez que começa a orar é agradecer a Deus por tudo que ele fez por você. (Ele a mantém em segurança.) Louve-o por tudo que ele é para você. (Ele é seu Protetor.) E o adore por quem ele é. (Ele é seu Pai celestial, que a ama para sempre.)

Diga, por exemplo, algo mais ou menos assim: "Obrigada, Senhor, por ter me ajudado a me sair bem na prova. Eu o louvo por me manter em segurança hoje. Eu o adoro por ser meu Deus de perfeito amor e paz".

Por quais coisas você deseja agradecer a Deus agora mesmo? (Por exemplo: "Quero agradecer a Deus por minha família e porque ele sempre nos dá o sustento".)

Por quais coisas você pode louvar a Deus agora mesmo? (Por exemplo: "Obrigada, Deus, por sempre estar comigo e porque nunca me deixará, nem me abandonará".)

Que verdade sobre Deus sempre será um motivo para adorá-lo? (Por exemplo: "Obrigada, Deus, por ser o Deus do impossível e porque nada é difícil demais para o Senhor".)

Você pode agradecer, louvar e adorar a Deus toda vez que sentir necessidade de mais amor, paz, alegria e poder da parte dele em sua vida. E ele estará lá com você, abençoando-a com sua presença e ajudando-a a fazer orações poderosas que farão *grande diferença* não só em *sua vida*, mas também na *vida* de *outras pessoas* e *situações* pelas quais você orar.

Não se esqueça de que, assim como uma pedrinha jogada na água é capaz de produzir várias ondulações, uma única oração é capaz de gerar muitas mudanças. E, toda vez que você ora, está buscando e interceptando uma situação ou pessoa que pode estar se dirigindo para a direção errada. Sua prece, porém, é capaz de mudar a direção e encaminhá-la para o rumo certo.

Quando você ora, pode confiar que Deus ouviu suas orações, pois você ora em nome de Jesus. E ora com o coração limpo diante dele, pois lhe confessou tudo de errado que disse, fez ou pensou. E você pediu a Deus que a perdoe. Ele o faz e sempre o fará, pois você é uma princesa preciosa dele. E é por isso que você sempre pode fazer a diferença ao orar.

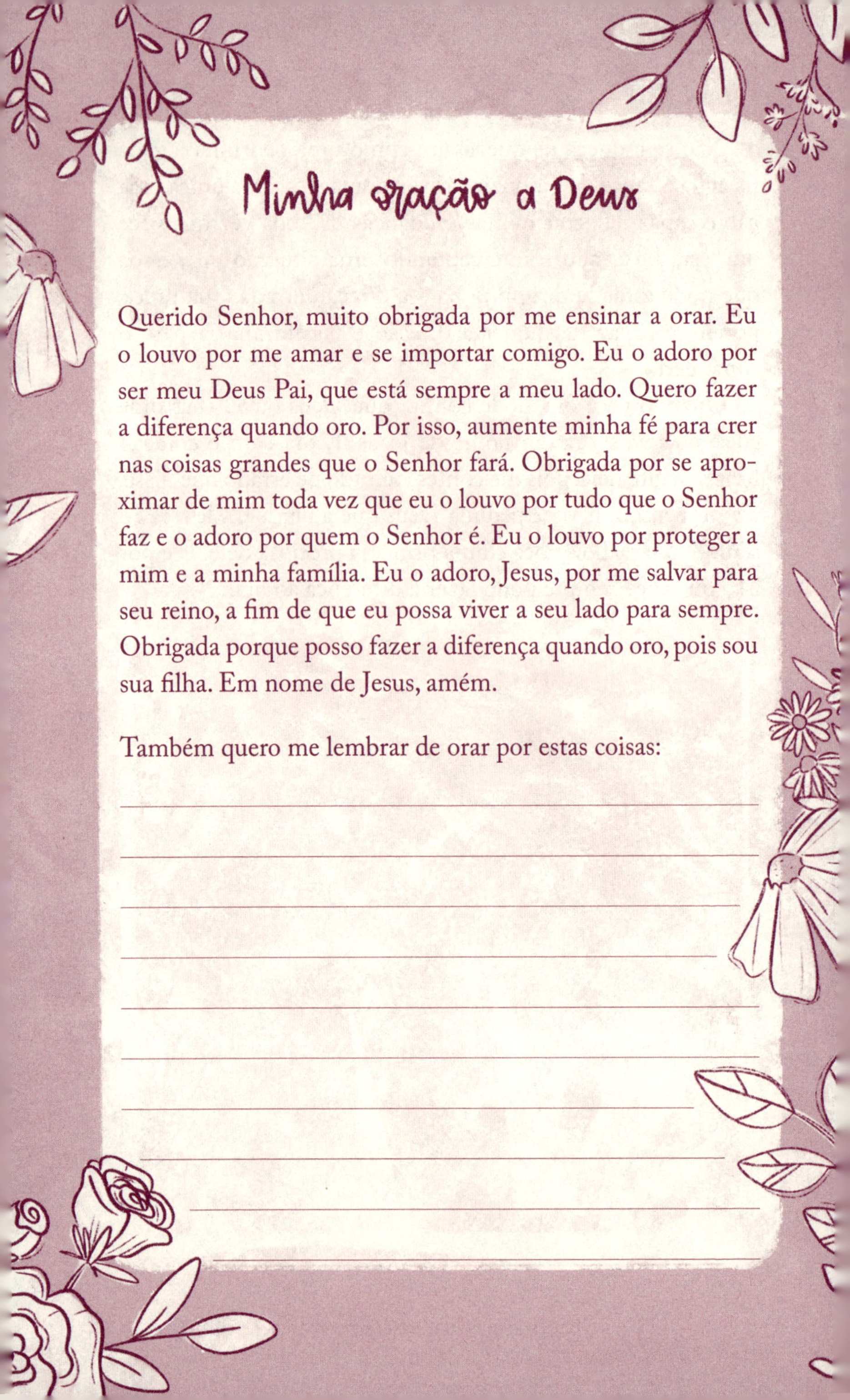

## Minha oração a Deus

Querido Senhor, muito obrigada por me ensinar a orar. Eu o louvo por me amar e se importar comigo. Eu o adoro por ser meu Deus Pai, que está sempre a meu lado. Quero fazer a diferença quando oro. Por isso, aumente minha fé para crer nas coisas grandes que o Senhor fará. Obrigada por se aproximar de mim toda vez que eu o louvo por tudo que o Senhor faz e o adoro por quem o Senhor é. Eu o louvo por proteger a mim e a minha família. Eu o adoro, Jesus, por me salvar para seu reino, a fim de que eu possa viver a seu lado para sempre. Obrigada porque posso fazer a diferença quando oro, pois sou sua filha. Em nome de Jesus, amém.

Também quero me lembrar de orar por estas coisas:

# Como conversar com pessoas cujas crenças são diferentes das minhas?

Pode ser difícil saber o que dizer quando você conversa com alguém que não acredita nas mesmas coisas que você. Talvez você não saiba exatamente no que essa pessoa acredita, mas sabe, ou ouviu falar, que ela não é cristã. E não tem certeza de qual será a reação dela ao ficar sabendo que *você* é. Descobri que a melhor coisa a fazer nessa situação é *mostrar* às pessoas quem *você* é, sendo como Jesus. Isso significa que você é bondosa, atenciosa, receptiva, amorosa e respeitosa. Assim como Jesus é.

Quanto mais você sabe sobre quem Deus é e sobre o que Jesus fez por você, mais à vontade ficará. Quanto mais você entender os caminhos de Deus com base na Palavra dele, mais ela se tornará parte de você e mais forte será o alicerce sobre o qual você se firmará.

### O que outras meninas dizem?

**Como outras meninas se sentem em relação a conversar com pessoas cujas crenças são diferentes das delas:**

"Fico meio sem graça quando não sei o que dizer."

"Fico preocupada de falar a coisa errada."

"Tento encontrar algo que temos em comum."

"Peço a Deus que me ajude a não dizer a coisa errada."

"Peço a Deus que me mostre como ser bondosa e atenciosa."

"Oro para que eu consiga mostrar o amor de Deus a ela."

Uma das melhores coisas que você pode fazer pelas pessoas que acreditam em outros deuses ou em deus nenhum é perguntar questões simples sobre a vida delas. Pedir aos outros que falem sobre si mesmos e compartilhem como é a vida deles é um gesto de gentileza. Pode lhe dar a oportunidade de perguntar ao outro se deseja que você ore por algum motivo. Talvez você se surpreenda com o número de pessoas que dirá sim. Não se pressione em relação a isso. Quando sentir que o Senhor deseja que você ore por alguém, peça a Deus e ele lhe dirá o que fazer.

Sempre fico surpresa com o número de pessoas que eu não conheço tão bem, mas que respondem sim quando pergunto se posso orar por elas, seja naquele instante, seja em uma ocasião posterior. Já conheci pessoas que não acreditavam em Deus ou acreditavam em outro deus — um deus falso — e disseram sim quando perguntei se podia orar por elas. Se você perguntar a uma menina se ela quer que você ore por ela e a resposta for não, apenas responda em tom alegre: "Tudo bem!". Então ore por ela em silêncio sempre que Deus a trouxer à sua memória. Você não precisa se tornar melhor amiga dela. Apenas saber que você a vê e se importa com ela pode fazer grande diferença na vida dessa garota.

As pessoas que se mudam de um lugar bem diferente para uma região nova costumam se sentir invisíveis e necessitam desesperadamente de alguém que as enxergue. É um sentimento péssimo. Já passei por essa experiência quando minha mãe se mudava vez após vez, em minha infância, para uma cidade ou um estado diferente. Mesmo que alguém apenas sorrisse ou me desse "oi", eu já me sentia mais ou menos assim: "Eu *realmente* existo. Alguém me vê! Talvez eu consiga superar isso".

Lembre-se de que, quando você ora por alguém, por qualquer pessoa, não é sua responsabilidade fazer algo acontecer ou transformar a resposta em realidade. Isso é trabalho para Deus. *Você* faz a oração. E *Deus* responde. Deixe nas mãos dele.

Eu costumava pensar: "E se eu orar, mas a resposta não vier? Eu parecerei fraca, como se minhas orações não fossem eficazes". Mas nossa oração tem a ver com *Deus*, não *conosco*. Por isso, não hesite em orar por alguém por se preocupar com o fato de Deus não responder a sua oração. A pessoa por quem você orar se sentirá tocada porque você se importou o suficiente para orar por ela. E você pode dizer à pessoa que o fato de você orar não significa que a resposta será sempre imediata e da maneira exata que você pediu. É Deus quem decide. Ele responderá da maneira que quiser e quando chegar o momento certo. Orar por alguém sempre fará a pessoa se sentir amada. Ela sentirá o amor de Deus por meio de suas orações. Aliás, você pode ser o único retrato de Jesus que ela verá.

Suas orações por alguém quando a pessoa não está com você também podem ser uma boa maneira de tocá-la. Ela *sentirá* suas orações. Deus quer que você ore pelos outros porque suas orações afetam não só a pessoa por quem você ora, mas Deus também abençoa *você* quando você faz isso.

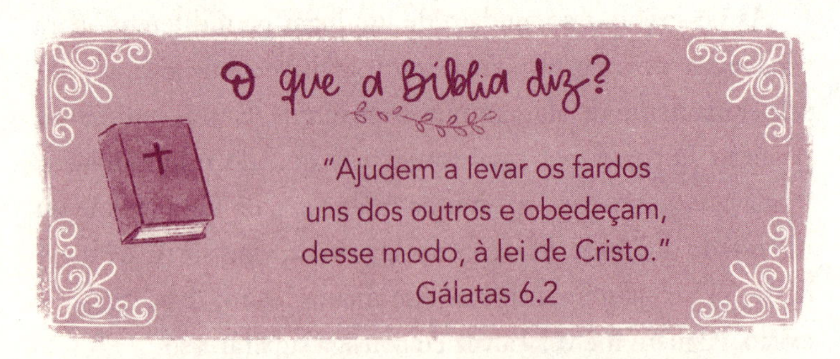


Isso significa que, quando oramos por outras pessoas, ajudamos a carregar os *fardos* delas, quaisquer que sejam eles. O *fardo* é algo com o qual elas se preocupam. É como se estivessem levando algo pesado nos ombros ou na mente.

Peça a Deus que lhe dê as palavras certas para dizer a alguém que não acredita nas mesmas coisas que você. Peça-lhe que lhe dê amor pela pessoa por quem você orar, e ele o fará. Suas orações são como sementes plantadas que se transformam em algo bom, se você continuar a alimentá-las e regá-las em oração.

Se você não sabe o que pedir em oração por uma pessoa, pergunte a ela. Diga-lhe: "Existe algo em sua mente ou em seu coração que você gostaria que eu levasse a Deus em oração?". Sei que pode parecer difícil orar por alguém que você não conhece bem, mas quanto mais você orar a Deus, somente você e ele, mais fácil será orar pelos outros.

Você já esteve na presença de pessoas cujas crenças eram diferentes das suas e não soube o que dizer? O que você gostaria de ser capaz de comunicar a essa pessoa? Escreva abaixo uma oração, pedindo a Deus que lhe dê as palavras certas a dizer sempre que se encontrar em uma situação como essa. Anote qualquer coisa que ele lhe mostrar.

Você também deve se lembrar de que, quanto mais forte for seu conhecimento sobre Deus e quanto mais compreender o quanto seu Deus Pai a ama, menos chances terá de se sentir tentada a passar para outra religião ou outro sistema de crenças. Você não quer trair, nem abandonar o Pai celestial com quem conversa todos os dias. Quanto mais pensa na promessa divina de que ele nunca deixará nem abandonará *você*, menos probabilidade haverá de você *o* deixar ou abandonar. Quando você interage com pessoas cujas crenças são diferentes das suas, seja sempre gentil e respeitosa, sem se deixar influenciar por aquilo que elas defendem e fazem.

sempre a seu lado.

## Lembre-se

Tudo que Deus pede que você faça é ter, em seu coração, o amor dele pelos outros.

Lembre-se de que, sempre que se sentir fraca, como às vezes acontece ao conversarmos com alguém que não acredita nas mesmas coisas que nós, você pode pedir a Jesus que lhe dê forças e as palavras de que precisa. Ele fará isso.

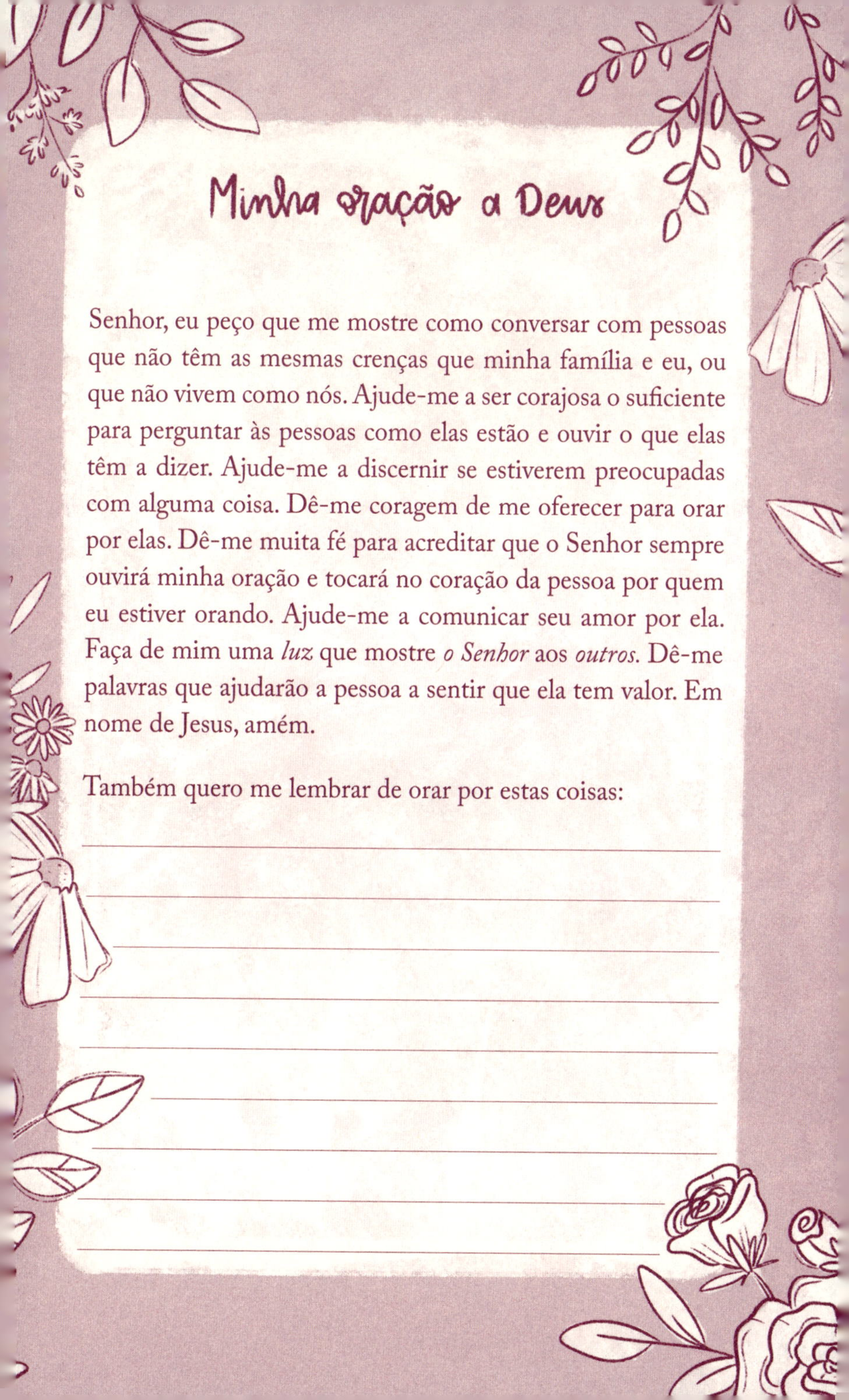

# Minha oração a Deus

Senhor, eu peço que me mostre como conversar com pessoas que não têm as mesmas crenças que minha família e eu, ou que não vivem como nós. Ajude-me a ser corajosa o suficiente para perguntar às pessoas como elas estão e ouvir o que elas têm a dizer. Ajude-me a discernir se estiverem preocupadas com alguma coisa. Dê-me coragem de me oferecer para orar por elas. Dê-me muita fé para acreditar que o Senhor sempre ouvirá minha oração e tocará no coração da pessoa por quem eu estiver orando. Ajude-me a comunicar seu amor por ela. Faça de mim uma *luz* que mostre *o Senhor* aos *outros*. Dê-me palavras que ajudarão a pessoa a sentir que ela tem valor. Em nome de Jesus, amém.

Também quero me lembrar de orar por estas coisas:

# 15

# E se minha oração não for atendida?

Todos nós passamos por momentos em que nossas orações não são atendidas. Acontece com todo mundo. É assim porque sempre queremos mais do que Deus deseja que tenhamos no momento. Ou pedimos algo que não é a vontade de Deus para nossa vida na ocasião. Muito embora Deus prometa que tem mais para nós do que conseguimos *pensar* em pedir, isso que ele promete pode pertencer ao futuro. Com frequência, queremos que a resposta à nossa oração se materialize *agora*.

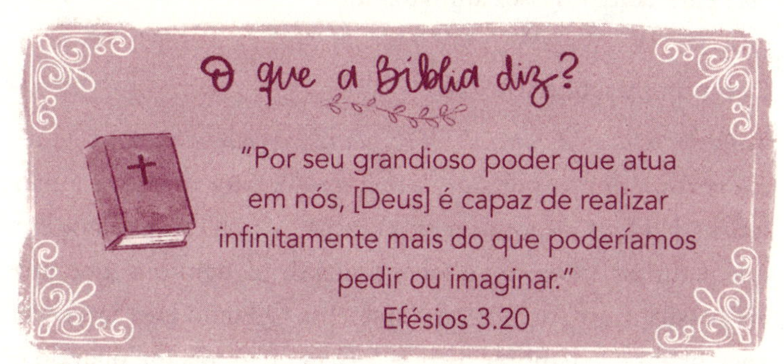


Ao esperar a resposta a uma oração, é importante sempre ter em mente que você não controla ninguém. *Isso significa que você não pode orar por* alguém, pedindo que essa pessoa *faça*

algo que *você* quer que ela faça. Como ela tem livre-arbítrio, decidirá o que deseja fazer. Você pode orar pedindo que a pessoa esteja *aberta* ao que *Deus* quer que ela faça e que ela *ouça o Senhor*, mas a pessoa é quem decide o que irá fazer.

### Ore por seus animais de estimação

Uma das maiores perdas que uma criança pode ter é a morte de um amado animal de estimação. Acontece com todos que têm um bichinho, pois eles não vivem tanto quanto as pessoas. Por isso, se você tem uma animal de estimação, um dia você o perderá. É devastador. Eu me lembro de todos os animais que meus filhos e eu já tivemos e morreram. É sempre muito triste, e parece que jamais iremos superar. No entanto, você pode começar a orar agora mesmo para que seus bichinhos de estimação sejam protegidos. Saiba, porém, que eles não foram criados para viver para sempre, portanto um dia será necessário dizer adeus. Antes que isso aconteça, peça a Deus que console seu coração ferido e agradeça-lhe porque ele escolheu *você* para cuidar desses animaizinhos.

### Ore por pessoas

*Também não temos controle sobre quando as pessoas morrem*. Muitas vezes, oramos por um ente querido, para que viva e não morra. E Deus responde a essa oração. Mas há momentos em que pedimos a Deus que salve a vida de alguém que amamos e a pessoa morre de qualquer maneira. Quando isso acontece, você precisa se lembrar de que é *Deus* quem decide quando é o momento de alguém morrer. Se a pessoa por quem você está orando conhece Jesus, ela estará com ele para sempre em paz, beleza, amor e saúde perfeita. E você a verá novamente no céu.

Se você está sofrendo a perda de alguém que ama, somente Deus pode ajudá-la a atravessar o luto e, com o tempo, mandar embora a dor. Mas você precisa se voltar *para* Deus. Não se volte contra ele por não ter respondido a sua oração da forma que você queria. É ele quem curará seu coração ferido. Procure também as pessoas em sua vida que a amam e entendem a dor que você está sentindo. Elas e Deus a ajudarão a superar dia após dia. Quando você sofrer alguma perda, conte a Deus como está se sentindo todos os dias e peça-lhe que a conforte. Ele fará isso.

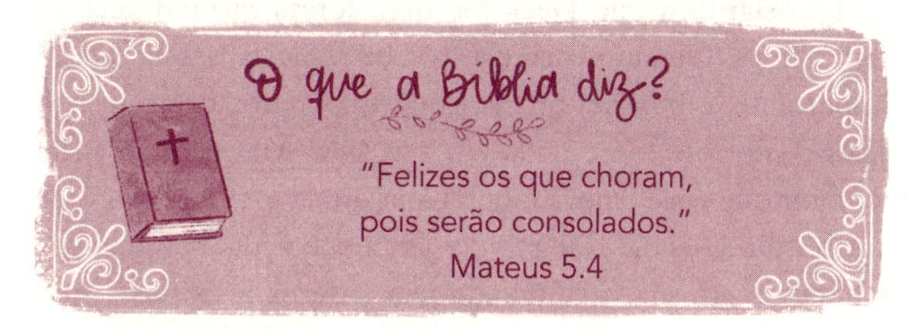


Isso significa que, se você perder alguém e ficar em luto, Deus enviará o Espírito Santo para consolá-la. Perder alguém que amamos faz parte da vida, pois todos nós morreremos um dia. E eu oro para que você jamais precise passar por isso tão jovem. Caso aconteça, porém, saiba que Deus estará a seu lado para ajudá-la a superar. Ele lhe dará o consolo especial de que você necessita para vencer cada dia.

Não se preocupe se nem todas as suas orações forem atendidas. Pode ser que elas não foram atendidas *ainda*! O tempo que *você* quer pode não ser o *tempo de Deus*. Ou então é possível que Deus tenha algo *melhor* reservado para você do que sua vontade. Apenas continue orando e não desista, até sentir que não há problema deixar de orar por aquele pedido específico. Toda vez que orar, entregue seus pedidos a Deus. E agradeça antecipadamente pelas respostas que ele dará a suas orações, quaisquer que sejam elas.

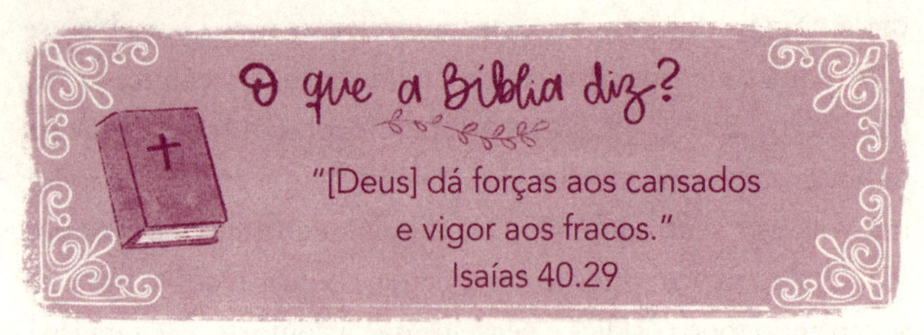


Isso significa que Deus lhe dará forças quando você se sentir fraca. Quando você não recebe resposta a uma oração importante, é possível que se sinta impotente, como se não tivesse controle sobre nada em sua vida. Mas é importante lembrar que você é nova e que Deus ainda está fazendo você crescer dia após dia. Talvez você sinta que nada está se movimentando em sua vida quando não enxerga respostas a suas orações. No entanto, quando você anda com Deus, jamais está parada. Sempre continua a seguir em frente. Deus não para de lhe ensinar mais sobre quem ele é, porque deseja que você confie cada vez mais nele.

A Palavra de Deus conta como ele fez muitos milagres em favor de seu povo, mas as pessoas ainda assim reclamavam como se ele não tivesse feito nada. Eram rebeldes contra Deus. A Bíblia diz: "Não se recordaram do seu poder, nem do dia em que ele os resgatou de seus inimigos" (Salmos 78.42). Os israelitas viram Deus realizar milagres poderosos em resposta a suas orações, mas ainda assim se queixavam de que ele não fazia o suficiente, ou que não fazia exatamente o que eles queriam. Deus não gostou nada disso. É fundamental lembrar que Deus sempre é mais poderoso do que qualquer coisa que você enfrente. E ele cuidará de você porque você o ama e confia nele.

### O que outras meninas dizem?

**O que as meninas fazem quando a oração não é atendida:**

"Continuo orando assim mesmo."

"Pergunto a Deus se devo parar de orar por aquilo."

"Conto a Deus como estou me sentindo porque minha oração não foi atendida."

"Peço a Deus que me dê uma fé forte ao orar."

"Deixo a questão nas mãos de Deus e oro por outras coisas."

"Convido alguém que também crê em Deus para orar comigo sobre o assunto."

"Peço a Deus que me dê paz enquanto eu espero."

"Peço a Deus que me mostre se estou orando pela coisa certa."

Você já fez uma oração importante que não foi atendida? Ou que não foi atendida como você queria? Escreva uma oração sobre isso para Deus. Por exemplo: "Querido Deus, obrigada porque o Senhor sempre ouve minhas orações. Mas há uma oração que ainda não foi respondida. Por favor, me ajude a..."

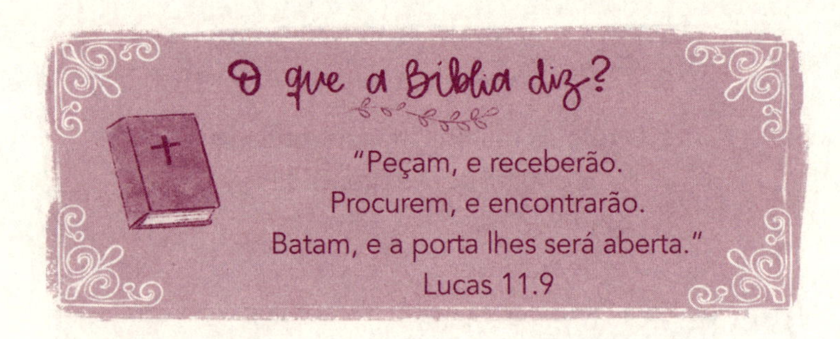


Isso significa que devemos continuar *pedindo* em oração, continuar *procurando* o Senhor e continuar *batendo* à porta até que Deus a abra para nós.

Às vezes, Deus atenderá sua oração de primeira. Com maior frequência, porém, ele demora mais do que você gostaria. É difícil quando é preciso esperar muito tempo. Mas você deve continuar orando, não importa quanto tempo leve. Às vezes, suas orações *são* atendidas, mas de maneira diferente do que você esperava. Às vezes, você nem reconhece as respostas a suas orações, porque Deus não atendeu seus pedidos de acordo com sua expectativa.

Lembre-se de que Deus *sempre ouve* suas orações e ele *responderá* do *jeito dele* e no *tempo dele.* Por isso, você não pode ser impaciente com Deus por não responder do *seu jeito* e no *seu tempo.* É preciso confiar nele e saber que Deus a ama profundamente, muito mais do que você consegue imaginar, e que você é importante para ele. Deus sempre quer o melhor para você, sua filha preciosa, sua linda princesa.

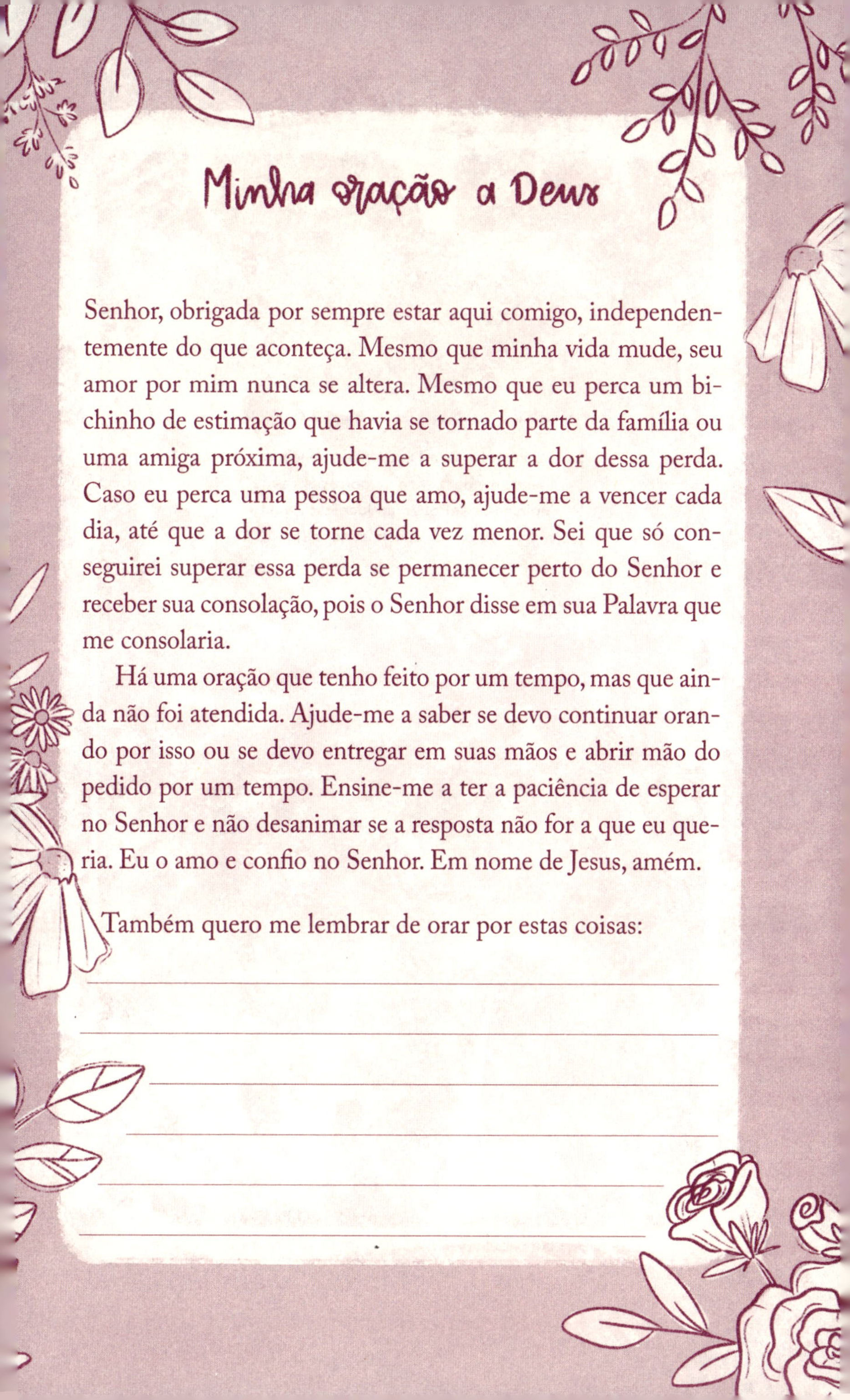

# Minha oração a Deus

Senhor, obrigada por sempre estar aqui comigo, independentemente do que aconteça. Mesmo que minha vida mude, seu amor por mim nunca se altera. Mesmo que eu perca um bichinho de estimação que havia se tornado parte da família ou uma amiga próxima, ajude-me a superar a dor dessa perda. Caso eu perca uma pessoa que amo, ajude-me a vencer cada dia, até que a dor se torne cada vez menor. Sei que só conseguirei superar essa perda se permanecer perto do Senhor e receber sua consolação, pois o Senhor disse em sua Palavra que me consolaria.

Há uma oração que tenho feito por um tempo, mas que ainda não foi atendida. Ajude-me a saber se devo continuar orando por isso ou se devo entregar em suas mãos e abrir mão do pedido por um tempo. Ensine-me a ter a paciência de esperar no Senhor e não desanimar se a resposta não for a que eu queria. Eu o amo e confio no Senhor. Em nome de Jesus, amém.

Também quero me lembrar de orar por estas coisas:

______________________________

______________________________

______________________________

______________________________

______________________________

______________________________

Compartilhe suas impressões de leitura,
mencionando o título da obra, pelo e-mail
**opiniao-do-leitor@mundocristao.com.br**
ou por nossas redes sociais

Esta obra foi composta com tipografia Adobe Caslon Pro e
impressa em papel Pólen Bold 70 g/m² na gráfica Imprensa da fé